INTRODUCTION

# TENTATIVES DE DÉFINITION

Les intellectuels sont à la mode. Cette faveur n'entraîne pas une plus grande clarté. Il est en effet presque aussi difficile de parler avec sang-froid des intellectuels que jadis des Jésuites. Trop souvent, le sujet est abordé de manière idéologique, non comme une réalité sociologique. On définit le rôle des intellectuels ; on l'apprécie au cours de l'événement : bien ou mal faisant, ces intellectuels ont pour seule existence celle qui découle de leur propre jugement... ou de celui des autres. On néglige l'arrière-plan historique, la situation sociale, la dimension culturelle. Tout se passe comme si l'appellation était purement circonstancielle et réservée à un nombre fort restreint d'individus : l'intellectuel ne se concevrait que par les positions qu'il prendrait, et l'actualité serait son milieu ambiant. Cette interprétation n'est pas propre à la France ; toutefois, elle y est d'autant plus générale et d'autant plus tenace qu'elle correspond aux origines du terme lui-même.

## I. — Histoire d'un mot

Si, en d'autres langues (l'anglais, par exemple), le terme *intellectuel* est utilisé comme substantif depuis longtemps (1), il n'acquiert cette nature en France que dans les toutes dernières années du XIX<sup>e</sup> siècle. Le substantif *intellectuel* ne figure ni dans le *Littré* (édition de 1876), ni dans le *Grand Dictionnaire universel* de Pierre Larousse (1866-1878), ni dans la *Grande Encyclopédie* (1885-1902). Quant au *Vocabulaire philosophique* de Lalande, il contient un article *intellectualisme*, mais il ne mentionne qu'incidemment le substantif *intellectuel*. D'après le témoignage de Léon Brunschvicg, rapporté par Lalande, le substantif *intellectualisme* était un néologisme vers 1890. « Le mot *intellectualisme*, écrit Lalande en 1909, a presque toujours un sens péjoratif, apparenté à l'usage défavorable qui a été fait aussi du mot *intellectuel* dans les discussions politiques. »

Les discussions politiques qu'évoque Lalande sont celles de l'affaire Dreyfus. Sous le titre « Manifeste des intellectuels », *L'Aurore* avait publié, le 14 janvier 1898, le texte suivant : « Les soussignés, protestant contre la violation des formes juridiques au procès de 1894 et contre les mystères qui ont entouré l'affaire Esterhazy, persistent à demander la revision. » Suivait une liste de noms, au premier rang desquels figuraient Emile Zola et Anatole France. Puis les deux Halévy, Fernand Gregh, Marcel Proust, Gabriel Monod, Lanson, Brunot, Seignobos, Andler, V. Bérard, Léon Blum, Lucien Herr, etc.

(1) D'après *The Oxford English dictionary*, le substantif « intellectual » apparaît, dans son sens actuel, vers la moitié du XVII<sup>e</sup> siècle.

S'il faut en croire Maurice Paléologue et son *Journal de l'affaire Dreyfus* (1), cette innovation linguistique et le texte qu'elle couvrait furent accueillis par des quolibets, tels ceux de Brunetière :

« ... Et cette pétition que l'on fait circuler parmi les *Intellectuels* ! Le seul fait que l'on ait récemment créé ce mot d'*Intellectuels* pour désigner, comme une sorte de caste nobiliaire, les gens qui vivent dans les laboratoires et les bibliothèques, ce fait seul dénonce un des travers les plus ridicules de notre époque, je veux dire la prétention de hausser les écrivains, les savants, les professeurs, les philologues, au rang de surhommes. Les aptitudes intellectuelles, que certes je ne méprise pas, n'ont qu'une valeur relative. Pour moi, dans l'ordre social, j'estime plus haut la trempe de la volonté, la force du caractère, la sûreté du jugement, l'expérience pratique. Ainsi, je n'hésite pas à placer tel agriculteur ou tel négociant, que je connais, fort au-dessus de tel érudit ou de tel biologiste ou de tel mathématicien qu'il ne me plaît pas de nommer... »

... ou ceux de Barrès, qui publia dans *Le Journal* du 1er février 1898 un article intitulé « La protestation des intellectuels » ; un des principaux mérites de ce texte passionné, dont les arguments sont ceux d'une anthologie de l'anti-intellectualisme, sur laquelle il nous faudra revenir, est de fournir une indication concernant la paternité du terme :

« Peut-être lisez-vous une double liste que publie chaque jour *L'Aurore* ; quelques centaines de per-

(1) Maurice PALÉOLOGUE, *Journal de l'affaire Dreyfus*, Paris, Plon, 1955, pp. 90-91.

sonnages y affirment en termes détournés leur sympathie pour l'ex-capitaine Dreyfus. Ne trouvez-vous pas que Clemenceau a trouvé un mot excellent ? Ce serait la « protestation des intellectuels »... ! On dresse le *Bottin* de l'élite ! Qui ne voudrait en être ? C'est une gentille occasion. Que de licenciés ! Ils marchent en rangs serrés avec leurs professeurs...

« Rien n'est pire que ces bandes de demi-intellectuels. Une demi-culture détruit l'instinct sans lui substituer une conscience. Tous ces aristocrates de la pensée tiennent à affirmer qu'ils ne pensent pas comme la vile foule. On le voit trop bien. Ils ne se sentent plus spontanément d'accord avec leur groupe naturel et ils ne s'élèvent pas jusqu'à la clairvoyance qui leur restituerait l'accord réfléchi avec la masse. Pauvres nigauds qui seraient honteux de penser comme de simples Français...

« Ces prétendus intellectuels sont un déchet fatal dans l'effort tenté par la société pour créer une élite... Ces génies mal venus, ces pauvres esprits empoisonnés, dont *L'Aurore* dresse la collection, méritent une sorte d'indulgente pitié, analogue à celle que nous inspirent les cochons d'Inde auxquels les maîtres du laboratoire Pasteur communiquent la rage.

« Sans doute, ces malheureux animaux doivent être abattus, ou du moins gardés dans des cages solides, mais philosophiquement il serait injuste de les maudire. Leur triste état est une condition indispensable du progrès scientifique. Le chien décérébré a rendu des services considérables aux études de psycho-physiologie qui sont d'un grand avenir... »

On peut contester que Clemenceau ait été le premier à utiliser le terme *intellectuel* comme substantif : il n'est sans doute pas impossible de trouver un emploi analogue sous une autre plume et à une époque antérieure, toute recherche concernant l'origine d'un mot ou d'une idée étant quelque peu hasardeuse. Quoi qu'il en soit, A. Cartault, écrivant pour la « Bibliothèque de Philosophie contemporaine » une étude psychologique et morale sur *L'intellectuel*, constate en 1914 (1) : « Il n'y a pas bien longtemps que l'adjectif *intellectuel*, las d'escorter en docile acolyte des substantifs variés, s'est émancipé et haussé lui aussi à la dignité de substantif indépendant. » Le même auteur fait ensuite une observation intéressante, qui tend à prouver que le terme est rapidement sorti des cercles journalistiques et polémiques, sans qu'il ait toutefois perdu son ambivalence, son imprécision : « Ce nouveau-né a fait fortune ; il est fort employé. Cependant il reste encore pour le grand public assez mystérieux. Quand on l'applique à autrui, on le fait parfois avec une certaine ironie ; pourtant on éprouve quelque humiliation à se le voir refuser à soi-même et, si on ne s'en pare point trop ouvertement, c'est crainte d'être accusé de vanité. »

La situation n'a pas beaucoup changé depuis cette époque : le mystère et la séduction du terme demeurent, ainsi que les difficultés de son application.

## II. — Insuffisance des définitions courantes

La dernière édition du *Dictionnaire de l'Académie française* (1935), admet l'emploi comme substantif du mot *intellectuel* et indique à ce propos : « Se dit

(1) Augustin Cartault, *L'intellectuel. Etude psychologique et morale*, Paris, F. Alcan, 1914, p. 43.

des personnes chez qui prédomine l'usage de l'intelligence et, dans ce sens, s'emploie souvent par opposition à *manuel.* » Le *Robert*, en 1957, ne va guère plus loin ; il est à la fois plus restrictif et plus extensif : « Qui a un goût prononcé (ou excessif) pour les choses de l'intelligence, de l'esprit ; chez qui prédomine la vie intellectuelle (Voir *cérébral*). *Par extension* : Dont la vie est consacrée aux activités intellectuelles. » Le *Petit Larousse* (réédition de 1961), résume les deux idées en définissant l'intellectuel comme une « personne qui s'occupe, par goût ou par profession, des choses de l'esprit ».

La consultation des dictionnaires les plus récents laisse donc le chercheur dans un état de grande perplexité. Ni le « goût pour les choses de l'esprit », ni même les « activités intellectuelles » ne se laissent aisément circonscrire.

Le « goût pour les choses de l'esprit » est-il fonction du niveau d'instruction ? En ce cas, il faudrait considérer comme des intellectuels toutes les personnes qui ont fait des études supérieures, voire secondaires — sans oublier les autodidactes. A l'opposé, ce « goût » n'est-il le fait que du petit nombre, d'une élite de philosophes, d'écrivains, d'artistes, d'hommes de science... ? Des jugements de valeur peuvent aussi intervenir dans une évaluation de ce type : le « goût » sera bon ou mauvais, par conséquent accepté ou récusé ; les « choses de l'esprit » seront estimées telles en fonction d'une sensibilité, d'une esthétique, d'une école...

Quant aux « activités intellectuelles », s'agit-il des activités professionnelles accessibles aux individus possédant des titres ou des diplômes délivrés par l'enseignement supérieur ? Les professeurs, les médecins, les magistrats, les avocats, les ingénieurs, les hauts fonctionnaires, les cadres supérieurs de l'armée, les membres du clergé, etc., rentrent alors dans la catégorie des intellectuels, d'où sont exclus nombre d'artistes. Les « activités intellectuelles » peuvent être conçues de la manière la plus restrictive : les activités de création (en littérature, en peinture, en musique, en architecture et, d'une certaine manière, dans les sciences), seraient seules véritablement intellectuelles. Ou, au contraire, de la manière la plus extensive possible : toute personne chez qui prédomine l'usage de la plume (ou de ses substituts modernes) et du papier pourrait prétendre à la qualification d'intellectuel. L' « activité intellectuelle » ne se définissant alors qu'en opposition à l' « activité manuelle », la tentation est grande, pour l'intéressé mais aussi pour l'enquêteur, de ne les déterminer qu'en fonction d'un caractère de « noblesse », attribué à l'une et refusé à l'autre.

Si l'on s'en tient aux critères de goût ou d'activités, on ne peut parvenir à une approche satisfaisante du sujet. En particulier, suivant que l'on adopte tel ou tel point de vue, le nombre des personnes sur qui porte l'étude varie dans des proportions inappréciables : on s'intéresse tantôt à un ensemble relativement important et peu homogène d'individus, tantôt à des cercle restreints. Dans le premier cas, l'analyse ne peut sortir de la confusion qu'au prix d'une discontinuité qui lui fait perdre toute signification ; dans le second cas, c'est le règne de la subjectivité, du parti pris.

Des exemples tirés de la situation française sont fort caractéristiques de cette ambiguïté. Plus d'un million de personnes ont déclaré, au recensement de la population en 1954, avoir des « activités intellectuelles » (au sens où l'entend l'Institut national de la Statistique et des Etudes économiques), la répar-

## Tableau I

**État des professions intellectuelles en France, d'après le recensement de 1954**

| Catégories | Ensemble | Hommes | Femmes |
|---|---|---|---|
| (1) Enseignement | 316 480 | 119 780 | 196 700 |
| (2) Santé | 103 720 | 75 500 | 28 220 |
| (3) Professions juridiques | 37 100 | 35 060 | 2 040 |
| (4) Cadres supérieurs administratifs | 226 300 | 199 360 | 26 940 |
| (5) Ingénieurs | 115 200 | 113 060 | 2 140 |
| (6) Professions intellectuelles diverses | 28 600 | 19 260 | 9 340 |
| (7) Artistes | 61 060 | 38 480 | 22 580 |
| (8) Cultes | 174 340 | 56 220 | 118 120 |
| (9) Armée (officiers) | 26 620 | 26 340 | 280 |
| (10) Libraires et éditeurs | 17 460 | 7 720 | 9 740 |
| Total | 1 106 880 | 690 780 | 416 100 |

tition en catégories professionnelles étant donnée dans le tableau I ci-contre (1).

Ce tableau ne tenant pas compte des étudiants des Facultés ni des élèves des Ecoles supérieures et techniques supérieures, il convient de majorer sensiblement ces chiffres et de les porter à un total général d'environ 1 300 000 individus.

Ajoutons que cette conception des « activités intellectuelles » n'est pas propre à l'I.N.S.E.E. : la Confédération des Travailleurs intellectuels s'en inspire également. Le Congrès de la Confédération internationale des Travailleurs intellectuels (organisme dont la C.T.I. est membre), qui s'est tenu à Paris en 1952, a adopté la définition suivante : « Un travailleur intellectuel est celui dont l'activité exige un effort de l'esprit avec ce qu'il comporte d'initiative et de personnalité, prédominant habituellement sur l'effort physique. » En vertu d'une définition aussi imprécise, la C.T.I. compte plus d'une centaine d'organisations affiliées (y compris le Syndicat des Chansonniers, l'Association française des Sténo-typistes de discours, les Compagnons de l'Intelligence...). Ces organisations sont regroupées sous quatre têtes de chapitre :

*Arts, lettres et sciences :* arts graphiques et plastiques ; lettres, théâtre, musique et cinéma.

*Professions libérales :* professions médicales et connexes ; professions juridiques ; professions libérales diverses.

*Travailleurs intellectuels salariés :* ingénieurs et cadres supérieurs ; membres de l'enseignement

(1) Ces chiffres peuvent paraître anciens ; les résultats du recensement qui a eu lieu en mars 1962 ne seront malheureusement pas disponibles, à ce degré de précision, avant plusieurs mois. Dans la suite de cette étude, nous donnons, à partir d'autres sources, des statistiques plus récentes, pour certaines professions.

et fonctionnaires ; techniciens et agents de maîtrise.

*Jeunes travailleurs intellectuels :* essentiellement étudiants et œuvres les concernant.

Le « goût pour les choses de l'esprit » se manifestant, le plus habituellement, par la lecture de livres ou de périodiques (revues mensuelles ou hebdomadaires de tendance littéraire), une évaluation numérique, globale et approximative, des personnes chez qui il est répandu n'est pas impossible, en théorie tout au moins. On peut rappeler, à ce sujet, que sur les quelque 100 000 ouvrages parus en France entre 1945 et 1955, à peine 1 sur 1 000 a franchi le cap des 100 000 (1), que le tirage des meilleures revues mensuelles est de l'ordre de 15 à 20 000 exemplaires, et que la diffusion des hebdomadaires à tendance littéraire les plus lus se situe aux environs de 100-150 000 exemplaires.

Si l'on tient compte du fait que les salles de lecture, les bibliothèques, les « bibliobus » et les prêts personnels peuvent accroître la circulation réelle des imprimés (on considère généralement que le coefficient d'accroissement, par rapport aux chiffres initiaux, est de l'ordre de 3,5), mais aussi du fait que ce sont souvent les mêmes individus qui ont de la curiosité pour les livres, les revues et les hebdomadaires culturels, on aboutit, pour les intellectuels par « goût pour les choses de l'esprit », à des chiffres beaucoup moins élevés que pour les intellectuels définis par leurs « activités » : on peut estimer qu'en France les « intellectuels-consommateurs » sont trois à quatre fois moins nombreux que les membres des professions intellectuelles.

(1) Voir Robert Escarpit, *Sociologie de la littérature*, Paris, Presses Universitaires de France, 1958, p. 71.

Sans vouloir multiplier les exemples de ce phénomène, qui n'est que trop évident dans les sociétés modernes, citons le cas de l'Union soviétique. Selon la doctrine officielle, qui s'exprime dans le *Dictionnaire philosophique*, « les intellectuels constituent une couche sociale intermédiaire, composée des hommes s'adonnant au travail intellectuel, cette couche comprenant les ingénieurs, les techniciens, les avocats, les artistes, les enseignants, les travailleurs scientifiques... ». A ce compte, l'*intelligentsia* de l'U. R. S. S. représente, en 1955, plus de 15 000 000 de personnes sur une population globale de 200 millions d'habitants (1). La circulation des imprimés de valeur culturelle peut paraître plus grande en Union soviétique que dans d'autres pays — pour des raisons de tradition, de tempérament et à cause des circonstances matérielles et idéologiques de l'édition ; il semble bien qu'elle n'atteint qu'une proportion réduite de l'*intelligentsia* (les 59 500 livres édités en 1956 donnent un tirage global de 1 107 000 000 d'exemplaires, la moyenne des tirages restant assez faible).

## III. — Pour une étude dynamique

Pour remédier à cet éparpillement ou à cet arbitraire, certains auteurs préconisent une définition comportant des catégories ou des niveaux.

Raymond Aron, s'appuyant sur l'histoire des sociétés, propose de distinguer les *scribes*, les *lettrés* ou *artistes*, et les *experts*. « Toutes les sociétés, écrit-il (2), ont eu leurs scribes, qui peuplaient les

(1) Sur l'*intelligentsia* soviétique, voir plus loin, chap. II, p. 62 sqq.
(2) Raymond Aron, *L'opium des intellectuels*, Paris, Calmann-Lévy, 1955, pp. 213-214.

administrations publiques et privées, leurs lettrés ou artistes, qui transmettaient ou enrichissaient l'héritage de culture, leurs experts, légistes qui mettaient à la disposition des princes ou des riches connaissance des textes et art de la dispute, savants qui déchiffraient les secrets de la nature et apprenaient aux hommes à guérir les maladies ou à vaincre sur les champs de bataille. » L'importance de chacune de ces catégories est variable, ces variations reflétant l'évolution sociale générale. Dans les sociétés industrielles, « les trois espèces de non manuels, scribes, experts, lettrés, progressent simultanément, sinon au même rythme. Les bureaucraties offrent des débouchés aux scribes de faible qualification, l'encadrement des travailleurs, l'organisation de l'industrie exigent des experts nombreux et de spécialisation croissante, les écoles, les Universités, les moyens de distraction ou de communication (cinéma, radio), embauchent des lettrés, des artistes ou des techniciens de la parole ou de l'écriture, simples vulgarisateurs ». Cette présentation sociologique est fort éclairante. On peut cependant trouver qu'elle ne trace pas avec netteté les limites entre les différentes catégories, et surtout qu'elle change insensiblement de critères : au départ fonctionnelle, elle tend à devenir hiérarchique, sans que le principe de cette hiérarchie soit clairement défini.

Ce principe ne peut être trouvé que dans la notion de culture. Le mérite de Mannheim est d'avoir traité les problèmes de l'intellectuel dans le cadre d'une « sociologie de la culture » (1). De même, Seymour Martin Lipset, après T. Geiger, insiste

(1) La deuxième partie du recueil de Karl MANNHEIM, *Essays on the sociology of culture* (Londres, Routledge and Kegan Paul, 1956) est consacrée « au problème de l'*intelligentsia* » (pp. 91-170).

sur le caractère central de cette notion : « Nous considérons comme intellectuels, écrit-il, tous ceux qui créent, distribuent et mettent en œuvre la culture — cet univers des symboles comprenant l'art, la science et la religion (1). » Cette définition introduit une différenciation que Lipset précise ainsi : « A l'intérieur de ce groupe, deux niveaux principaux peuvent être distingués : tout d'abord un noyau, formé de créateurs de culture — savants, artistes, philosophes, auteurs, quelques directeurs de journaux, quelques journalistes ; en second lieu, viennent ceux qui distribuent ce que d'autres créent — exécutants des divers arts, la plupart des enseignants, la plupart des journalistes. Un groupe périphérique se compose de ceux qui mettent en œuvre la culture en tant qu'elle s'intègre à leur métier — membres de professions libérales, tels que médecins ou avocats. » Si les exemples donnés par l'auteur peuvent être contestés (en ce sens surtout qu'ils sont relatifs à une société donnée), l'essentiel est que cette classification semble juste dans ses grandes lignes.

L'intellectuel ne peut être défini valablement que dans une société et en fonction d'une culture, la profession assurant généralement une sorte de médiation entre les deux termes ; ajoutons — bien que ceci soit une évidence — que société et culture sont tributaires de l'histoire comme de la géographie. Les intellectuels des pays extrême-orientaux, par exemple, se situent dans une tradition sociale et culturelle — celle d'une société de type traditionnel et

(1) Seymour Martin Lipset, American intellectuals : their politics and status, *Daedalus, Journal of the American academy of arts and sciences*, été 1959, pp. 460-486 ; l'auteur a reproduit cet article dans *Political man*, Garden City, Doubleday, 1960, 432 p. T. Geiger, Intelligentsia, *Acta sociologica* I (1), 1955, pp. 31-49.

hiérarchisée, celle d'une culture raffinée, réservée au petit nombre, aux « lettrés » — qui les différencie des intellectuels occidentaux, ceux-ci ayant eu à faire face très tôt au développement industriel, à la démocratisation sociale et, d'une certaine manière, culturelle. Dans l'Europe occidentale elle-même, malgré la circulation des hommes et des idées, active dès le Moyen Age et accélérée aux époques de fermentation idéologique (Renaissance, Réforme, Révolutions), les frontières nationales ont compartimenté la société intellectuelle. La position sociale des intellectuels anglais n'est pas la même que celle des intellectuels français ; Jean-Paul Sartre l'a noté, en donnant de ce phénomène un sens et une explication qui ne sont sans doute pas définitifs :

« En Angleterre, les intellectuels sont moins intégrés que nous dans la société ; ils forment une caste excentrique et un peu revêche, qui n'a pas beaucoup de contact avec le reste de la population. C'est d'abord qu'ils n'ont pas eu notre chance : parce que de lointains prédécesseurs, que nous ne méritons guère, ont préparé la Révolution, la classe au pouvoir, après un siècle et demi, nous fait encore l'honneur de nous craindre un peu (très peu) ; elle nous ménage ; nos confrères de Londres, qui n'ont pas ces souvenirs glorieux, ne font peur à personne, on les juge tout à fait inoffensifs ; et puis la vie de club est moins propre à diffuser leur influence que la vie de salon ne le fut à diffuser la nôtre : des hommes entre eux, s'ils se respectent, parlent d'affaires, de politique, de femme ou de chevaux, jamais de littérature, au lieu que nos maîtresses de maison, qui pratiquaient la lecture comme un art d'agrément, ont aidé par leurs réceptions au rapprochement des politiciens, des financiers, des généraux et des hommes de plume (1). »

La notion d'intellectuel suppose de la part de l'individu à qui elle s'applique une conscience de sa situation et de son rôle. L'histoire ne consacre les intellectuels que dans cette mesure. Si l'on peut, malgré l'anachronisme du terme, parler des « intellectuels au Moyen Age » (2), c'est que des individus ont eu conscience de former un corps actif dans la société médiévale — qu'ils se soient efforcés d'établir les bases de cette société, ou simplement de les maintenir, ou encore de les contester — et de contribuer par cela même à la vie culturelle de l'époque. On a beaucoup insisté, dans les années 1930 ou en 1944-1945, sur la nécessité de l'engagement de l'intellectuel, et, plus récemment, certains ont montré les dangers de cette formule et ont prôné le dégagement.

Des revues comme *Esprit* (fondée en 1932), *Les Temps modernes* (fondée en 1945) ont contribué à lancer, sinon à préciser, la notion d' « engagement » de l'intellectuel ; des oppositions se sont manifestées à droite (assez bien résumées dans les positions d'une revue aujourd'hui disparue, *La Parisienne*, et dans celles de l'hebdomadaire *Arts*), ou à gauche : dans son « Hygiène des lettres », Etiemble à recueilli des articles, écrits entre 1942 et 1953, sous le titre de *Littérature dégagée* (3).

(1) Jean-Paul SARTRE, *Situations II*, Paris, Gallimard, 1948, pp. 203-204.

(2) Jacques LE GOFF, *Les intellectuels au Moyen Age*, Paris, Editions du Seuil, 1957, 192 p.

(3) ETIEMBLE, *Littérature dégagée, 1942-1953*, Paris, Gallimard, 1955, 310 p. (Hygiène des lettres, 2). Un article intitulé « De l'engagement » ouvre le recueil ; plus loin, l'auteur met bien en relief, avec son ironie habituelle, l'ambiguïté du terme « intellectuel » : « *Intellectuel* : encore un de ces mots à double, à multiple entente ; à mésentente. « Nous autres intellectuels », ainsi parle aujourd'hui

Dans la perspective où nous nous situons ici, on ne peut pas plus parler d'*intellectuel engagé* que d'*intellectuel dégagé* : *intellectuel* et *engagé* forment un pléonasme ; l'*intellectuel dégagé* est une illusion. Cette querelle comporte un enseignement : il n'existe pas d'intellectuel qui n'ait pas de positions, implicites ou explicites, par rapport à la société dans laquelle il vit, et il ne suffit pas qu'une personne prenne des positions (politiques) pour être qualifiée d'intellectuel.

Que nous n'adoptions pas ici comme critères l' « engagement » ou le « dégagement » ne signifie nullement que nous n'accordons aucune valeur à un épisode important de l'histoire culturelle française ou que nous renions l'enseignement d'Emmanuel Mounier. A la suite du fondateur d'*Esprit*, nous avons appris que : « L'intellectuel a mission (et même sacerdoce) de chercher la vérité, et de juger : *Homo spiritualis judicat omnia.* » Mais aussi que : « Cette autorité morale que l'on nous reconnaît n'est pas un dépôt en banque, c'est un produit corruptible que chacun de nos actes mûrit ou défait (1). » Le jugement, qui est l'acte par

Homais, pour poser (en s'opposant aux ouvriers). Abus évident de langage. Ce n'est pas tout. Par une plus ou moins consciente référence aux doctrines intellectualistes en tant qu'elles s'opposent à sensualisme, ou romantisme, l'*intellectuel* — au sens étriqué du mot — c'est aussi celui que dévore son cerveau : il croit que le choc de deux représentations, ou celui de deux notions, fait jaillir l'eau du roc, et du sexe le sperme ; l'intellectuelle ni ne mange avec gourmandise ni ne se maquille ou s'habille avec goût, ni ne se livre à des passions qu'elle ne conçoit pas même. Abstracteurs de quintessence, ces *intellectuels* intellectualistes vivent toujours dans la lune ou dans Sirius. Au sens élargi, *intellectuel* signifie encore, quelle que soit sa métaphysique ou sa psychologie, celui qui pour travailler se sert plutôt de ses cellules nerveuses que de ses fibres musculaires. Travailleur, autant que le forgeron, mais travailleur intellectuel. Ainsi le peintre, l'avocat, le professeur, le juge, l'écrivain, etc. »

(1) Lettre d'Emmanuel Mounier à Jean-Marie Domenach, citée dans *Mounier et sa génération*, Paris, Editions du Seuil, 1956, p. 405.

excellence de l'intellectuel, est d'ordre philosophique, plus que moral. Nous récusons toute conception où l'appréciation l'emporte sur la parole : il ne s'agit pas d'apprécier, mais de dire. Nous voulons retrouver, dans une perspective historique, la double application de l'intellectuel : la participation à une culture et la participation à une société. Il nous semble en effet qu'aucune recherche n'est possible sans une pareille extension du sujet. Nous avons voulu éviter le pamphlet, au même titre que la description statistique.

***

Culture, société, professions sont les trois termes autour desquels s'organise notre inventaire. Culture : l'histoire des intellectuels recouvre celle des civilisations. Nous ne prétendons nullement retracer les grandes lignes de l'histoire des civilisations : le propos est démesuré et les esprits sont rares qui peuvent l'envisager ; il s'agit seulement de suivre l'apparition — dans le contexte de la civilisation occidentale exclusivement — des types d'intellectuels qui ont participé aux diverses mutations culturelles. Société : l'étude des intellectuels s'intègre dans l'analyse des structures et de leur transformation ; en retour, la détermination de la place et du rôle des intellectuels peut fournir des indications sur l'évolution générale. Professions : elles introduisent l'intellectuel dans le concret et lui donnent une situation culturelle et sociale précise ; elles lui assurent, en outre, ses moyens matériels d'existence. Ajoutons que, si une optique universelle, ou du moins comparative, nous était, au départ, suggérée, nous avons été amené, chemin faisant, à renoncer à des investigations pour lesquelles les premiers éléments font défaut. Trop souvent, la manière de traiter le sujet nous a été imposée par l'état de la documentation (1).

(1) Nous remercions Jacqueline Pincemin et Serge Hurtig, qui nous ont fourni un certain nombre d'indications figurant dans cet ouvrage.

## Chapitre Premier

# INTELLECTUELS ET CULTURE

L'intellectuel naît avec les Universités. Ce sont elles qui ont donné à l'esprit humain un mode durablement organisé de formation, d'expression et de propagation. Sans doute l'antiquité gréco-latine a-t-elle eu ses générations de philosophes, ses historiographes, ses grammairiens, ses rhéteurs, ses littérateurs, mais il ne s'agissait en fait que d'une aristocratie. La « classe des philosophes », à qui Platon souhaite confier non seulement les choses de l'esprit mais les choses de la cité, est constituée par une élite restreinte et indéterminée : quoi qu'en ait voulu l'auteur du livre VII de *La République*, le recrutement et l'enseignement se situent sous le signe des rapports personnels entre le maître et le disciple, le second s'enrichissant au contact du premier. De même, les sociétés non occidentales, quel qu'ait été leur degré d'évolution, ont-elles toujours accordé une place à part à leurs « lettrés » : c'étaient essentiellement des artisans, spécialistes des communications du groupe ou gardiens du patrimoine culturel, celui-ci ayant accumulé des pratiques et des spéculations d'origine principalement religieuse. Le christianisme, religion totalitaire et universelle, a mis le monde en question : des institutions nouvelles se sont développées, et, en liaison avec elles, l'élaboration des théories fondamentales, la formation des cadres, l'enseignement universitaire. En introduction à son *Histoire des Universités*, Stephen d'Irsay a bien souligné l'originalité du système culturel médiéval par rapport au régime ancien : « Tandis que dans l'Antiquité les arts étaient étudiés pour eux-mêmes et devenaient le but même des études, au Moyen Age ils ne sont que le fondement du vaste édifice érigé pour l'usage de la société chrétienne. Les arts libéraux ne serviront désormais qu'à la préparation aux grandes professions savantes : légistes, canonistes, médecins, théologiens (1). »

## I. — Le rôle des Universités médiévales

Pendant le haut Moyen Age, les écoles monastiques et les écoles cathédrales s'efforcent de fournir aux membres du clergé les rudiments de science théologique, scripturaire et rhétorique, indispensables à l'exercice de leur ministère. Même sous Charlemagne, l'instruction reste limitée, tant par la nature des matières enseignées que par l'origine ou la destination des bénéficiaires. En outre, le moine qui calligraphie des textes dans le *scriptorium* de son monastère ne cherche nullement à développer la culture ni à la diffuser : il n'accorde qu'une attention toute matérielle au texte et il n'accomplit ce travail que pour occuper son temps ou faire œuvre de pénitence ; les manuscrits splendidement ornés qui sortent de sa plume vont enrichir de rares bibliothèques, où ils ne sont qu'exceptionnellement consultés.

(1) Stephen d'Irsay, *Histoire des Universités françaises et étrangères, des origines à nos jours*, Paris, A. Picard, 1933, t. I, p. 4.

Il faut attendre la fin du XI^e siècle et surtout le XII^e siècle pour que le foisonnement des écoles, à l'initiative et sous l'influence de maîtres prestigieux, engendre une effervescence intellectuelle qu'il faut canaliser. C'est à Paris, où « vraiment Dieu est présent » suivant l'expression de Jean de Salisbury, que le nouvel esprit prend corps. De l'émulation intellectuelle, entretenue par les discours et les discussions publiques, entre maîtres et élèves de toute origine, et du sentiment de former une collectivité autonome, qui provoque parfois des heurts sanglants entre les étudiants et la police, naît l'*Universitas magistrorum et scholarium Parisius commorantium.* En 1215, l'Université de Paris est pourvue de statuts qui non seulement règlent le cours des études (en assurant la prédominance de la théologie), mais encore fixent les droits de ses membres en face des autorités et leurs devoirs d'intellectuels sur le plan culturel et social : ils reçoivent pour mission de démêler l'écheveau des connaissances et de fonder une théorie compréhensive du monde.

Cependant, Paris n'est pas le seul foyer universitaire de l'Europe médiévale. L'étude du droit se concentre, pour une large part, à Bologne. La formation et l'évolution de l'Université de Bologne présentent, par rapport à Paris, des différences sensibles : en particulier, professeurs et étudiants n'ont guère de conscience commune, les premiers étant rattachés à la juridiction urbaine et ayant des obligations envers elle, les seconds conservant une certaine indépendance en raison principalement de la diversité géographique de leur provenance. L'essentiel est que la vocation culturelle de Bologne, comme celle de Paris, s'affirme grâce à son Université. Il en est de même à Montpellier où la médecine, d'origine gréco-arabe, s'intègre à l'Université : ensemble de connaissances pratiques, la médecine devient ainsi une véritable science rationnelle. Il faudrait citer les Universités anglaises (Oxford à qui Robert Grosseteste donne une impulsion décisive et Cambridge issue en partie d'Oxford), les Universités espagnoles, les autres Universités françaises et italiennes... Toutes aboutissent aux mêmes résultats : la normalisation de la culture et son organisation en fonction de la société ecclésiastique et civile, ainsi que la formation de corporations universitaires, véritables corps d'intellectuels au sein d'une société hiérarchisée.

Les étudiants, les clercs dans la terminologie médiévale, sont les éléments les plus nombreux et aussi parfois les plus turbulents de ces corporations universitaires. Par delà un même attrait pour les biens et les valeurs de l'esprit, la population étudiante se diversifie suivant l'âge (aux côtés d'ecclésiastiques ou de fonctionnaires en place, on rencontre des jeunes gens non encore engagés dans la vie), l'origine sociale, la fortune (les fils de bourgeois ou de nobles sont moins nombreux que les étudiants d'origine modeste, pauvres et généralement boursiers) et aussi suivant le degré d'adhésion aux structures sociales : s'il existe nombre d'éléments studieux, que rien ne saurait détourner de leur quête de savoir et de leur souci d'intégration sociale, l'attention des autorités et du public est souvent attirée par des groupes turbulents d'écoliers vagabonds et anticonformistes. Toute société sécrète ses anticonformistes, voire ses hétérodoxes : au Moyen Age les Goliards sont de ceux-là, et le récit de leurs hauts faits, le témoignage de leurs œuvres satiriques, plus ou moins scandaleuses, sont révélateurs de l'état de la société où ils vivent et annoncent les « idées de morale naturelle, de libertinage des mœurs ou de l'esprit, de critique de la société religieuse qu'on retrouvera chez des universitaires, dans la poésie de Rutebeuf, dans le *Roman de la Rose* de Jean de Meung... » (1).

Unité et diversité aussi du corps professoral : d'un côté, une même passion intellectuelle et, souvent, une même pauvreté matérielle ; de l'autre, des différences de statut suivant les Universités et, à l'intérieur de chaque Université, suivant les facultés, ainsi que de nombreuses rivalités personnelles, dues à des querelles de méthode ou de doctrine. Personne mieux qu'Abélard n'illustre le personnage de l'enseignant médiéval ; on a pu dire qu'il est « la première grande figure d'intellectuel moderne, le premier professeur ». En tout cas, son rôle est primordial dans la formation et la renommée de l'Université parisienne, ainsi que dans la montée du courant antitraditionaliste qui envahira les esprits aux siècles suivants. D'un point de vue sociologique aussi, le cas d'Abélard est exemplaire ; si, malgré les inconvénients que cet événement représenterait pour sa carrière, il souhaite le mariage avec Héloïse, celle-ci lui fournit, pour le détourner, des arguments que beaucoup d'intellectuels, de nos jours, semblent n'avoir pas encore surmontés :

« Tu ne pourrais, lui écrit-elle, t'occuper avec autant de soin d'une épouse et de la philosophie. Comment concilier les cours scolaires et les servantes, les bibliothèques et les berceaux, les livres et les quenouilles, les plumes et les fuseaux ? Celui qui doit s'absorber dans des méditations théologiques ou philosophiques peut-il supporter les cris des

(1) Jacques Le Goff, *op. cit.*, p. 40.

bébés, les berceuses des nourrices, la foule bruyante d'une domesticité mâle et femelle ? Comment tolérer les saletés que font constamment les petits enfants ? Les riches le peuvent, qui ont un palais ou une maison suffisamment grande pour qu'on puisse s'y isoler, dont l'opulence ne ressent pas les dépenses, qui ne sont pas quotidiennement crucifiés par les soucis matériels. Mais telle n'est pas la condition des intellectuels et ceux qui ont à se préoccuper d'argent et de soucis matériels ne peuvent s'adonner à leur métier de théologien ou de philosophe. »

## II. — L'apparition du livre ; la Renaissance et la Réforme

Tous les historiens soulignent le caractère scolaire et artificiel de la coupure entre le Moyen Age et la Renaissance. Dès le XIVe et le XVe siècle, partout en Europe, une transformation intellectuelle s'amorce. Les Universités, dont nous avons dû abandonner la riche histoire, ne contribuent pas peu à cette transformation : un Marsile de Padoue, un Guillaume d'Ockham sont des universitaires, et leur apport dans la formation de l'esprit nouveau — et ses prolongements politiques, concernant les relations entre l'Eglise et l'Etat — est considérable. Le rôle de précurseurs des Universités italiennes, néerlandaises, allemandes est aussi à rappeler, sans parler de l'Université de Prague (Jean Hus). Bien plus, à côté de cette culture universitaire, se développe et se répand, à la fin du Moyen Age, une culture populaire, liée à une sécularisation de la vie sociale ou au contraire à la diffusion d'un mysticisme parfois peu orthodoxe. Le « naturalisme » de la fin du Moyen Age est la marque d'une soif de découverte, d'un certain scepticisme aussi — d'un goût de la vie, auquel des bouleversements de toute sorte ont donné une âpre saveur.

L' « invention » de l'imprimerie tient une grande place dans la transformation culturelle de cette époque. En mettant au point les procédés d'impression, Gutenberg et ses compatriotes mayençais préparent une modification radicale, à la fois quantitative et qualitative, de l'écriture. A partir de la deuxième moitié du XVe siècle, le livre se substitue au manuscrit, le cercle des lecteurs s'élargit, l'auteur s'individualise et sa condition se précise. Au début, ce sont surtout les textes religieux qui bénéficient des procédés nouveaux : 45 % environ des incunables (c'est-à-dire des textes imprimés avant 1500) sont des Bibles, des bréviaires, des missels, des livres d'heures... Toutefois, les auteurs classiques, latins et grecs, viennent rapidement en faveur dans les milieux de l'édition, l'imprimeur étant la plupart du temps un érudit. Une tendance de plus en plus nette se dessine, dès la fin du XVe siècle, à la traduction et à l'impression de textes en langue vulgaire. Outre que « les langues nationales, encore en pleine évolution, s'enrichissent et s'épurent au contact des langues anciennes, grâce au travail d'innombrables traducteurs » (1), le terrain est préparé pour l'impression et la diffusion d'œuvres contemporaines, parfois écrites à la commande d'un imprimeur : qu'il soit clerc ou laïc, professeur ou érudit, l'auteur devient un écrivain.

Ainsi, au début du XVIe siècle, l'intellectuel est

(1) Lucien FEBVRE et Henri-Jean MARTIN, *L'apparition du livre*, Paris, A. Michel, 1958, p. 410. Le dernier chapitre de cet ouvrage s'intitule, de manière fort suggestive : « Le livre, ce ferment. »

en possession des instruments propres à diffuser sa parole et son écriture : il est, en quelque sorte, assuré de son métier. En outre, le métier d'intellectuel gagne en extension et en diversité : le petit monde des traducteurs, des typographes, des libraires, voire des bibliothécaires, y participe, par ses activités et sa culture, aux côtés des maîtres et des créateurs.

C'est dans une recherche plus scientifique, moins philosophique que celle de l'époque précédente que le XVIe siècle engage, à la suite de l'Italie, les divers pays d'Europe. L'érudition, l'exercice constant de l'esprit critique, un effort de rationalisation des formes d'art, le goût des découvertes et des voyages caractérisent cette période. En France, les Universités sont, dans une large mesure, dépassées par le mouvement, lorsqu'elles ne s'y opposent pas ouvertement comme la Sorbonne. Le milieu intellectuel est dominé par les humanistes qui sont d'ailleurs gens d'une extrême diversité. Il y a les provinciaux, nobles isolés dans leurs demeures ou écrivains rattachés à une cour, à un évêché, à un parlement, parfois à une faculté ; il y a ceux que François Ier regroupe à sa cour et fixe à Paris, notamment grâce à la création du Collège royal (devenu par la suite Collège de France). Il y a les érudits purs comme Lefèvre d'Etaples ou Guillaume Budé ; les esprits polémiques comme Rabelais ou moins ouvertement sceptiques comme Montaigne ; les poètes guerriers comme Agrippa d'Aubigné, le type même du poète engagé, ou des poètes artisans du verbe et soucieux de réforme du langage comme Ronsard...

En d'autres pays, en Angleterre et surtout en Allemagne, les Universités prennent une part directe et considérable à l'épanouissement de la

Renaissance. Vienne, Bâle, Erfurt en particulier sont les foyers de l'humanisme allemand, dont on a pu résumer les efforts et les ambitions en quelques mots extrêmement flatteurs : « Sentiment de l'esthétique, recueillement de la pensée nationale, bon accueil accordé aux voix du passé, sincère attachement à la philosophie platonicienne nouvellement découverte et, par conséquent, expansion et popularité des idées mathématiques (1). »

Autre œuvre de l'esprit allemand : la Réforme. Alors que la Renaissance n'avait été menée que par un groupe d'hommes peu nombreux, du moins sous ses formes les plus élevées, et avait abouti à la constitution d'une nouvelle aristocratie intellectuelle, la Réforme est l'entreprise de tout un peuple, soulevé par le nationalisme et animé par la volonté de supprimer les abus que la société ecclésiastique avait laissé se perpétrer. A l'origine, les humanistes marquent quelque effroi en face de la tournure radicale prise par le mouvement réformateur sous l'impulsion de Luther, et ce n'est que progressivement que celui-ci peut gagner à sa cause les Universités allemandes (grâce notamment à l'esprit équilibré de Mélanchton).

Calvin procède différemment : ne pouvant compter sur les Universités existantes, il fait œuvre de fondateur. L'Université de Genève est conçue par lui comme un moyen d'assurer l'intégrité doctrinale et la cohésion sociale. Si tout libéralisme est exclu de cette conception, le rôle accordé à la raison, principe d'interprétation de l'Ecriture, et la participation de la collectivité entière à une éducation et à une culture d'apparence fort contrai-

(1) Stephen d'Irsay, *op. cit.*, t. I, p. 302.

gnante auront des conséquences socio-culturelles imprévues.

De ces deux mouvements, Renaissance et Réforme, il est bien malaisé de dégager l'évolution culturelle et intellectuelle. L'essentiel semble être que les institutions et les hommes se sont libérés de l'environnement social imposé à la vie culturelle sous le régime de la chrétienté. Il en résulte qu'intellectuels et culture tendent à former un monde à part, le recrutement et la participation populaire s'étant considérablement amenuisés. Si le professeur a cédé la place à l'écrivain, celui-ci n'a pas encore trouvé de public.

## III. — Le XVIIe siècle et la littérature

« Quittant le cabinet, la culture, sérieuse ou galante, de plus en plus ouverte à la littérature, se fait ornement mondain jusqu'au ridicule, et la satire s'en empare. Fêtes princières ou bourgeoises, conversations ou correspondances, elle devient un élément essentiel de l'élévation sociale que seuls peuvent mépriser des esprits dégradés, attardés ou bizarres, elle fait désormais partie de la mode et en suit les variations (1). »

Voilà, en ce qui nous concerne, fort bien caractérisé l'esprit du « grand siècle ». La culture n'est plus affaire d'enseignement, ni d'érudition, mais d'abord d'éducation. Ce qui ne veut pas dire qu'il y ait perte de substance : la vérité de l'éducation, telle que la conçoit le XVIIe siècle, est la vérité de l'homme, de son expression, de sa langue. C'est par le verbe, langage véridique, que Descartes aspire

(1) Pierre Barrière, *La vie intellectuelle en France, du XVIe siècle à l'époque contemporaine*, Paris, A. Michel, 1961, p. 134.

à « se rendre maître et possesseur de la nature ». Sans doute cela implique-t-il un *numerus clausus* tant en ce qui concerne les protagonistes que les bénéficiaires. Inévitable ou non, ce rétrécissement est un fait : la littérature est constituée en entité, comme l'agriculture ou le commerce, et le restera tout au long de l'évolution des sociétés occidentales.

Les salons, les académies, la cour sont les milieux naturels de cette culture. Dans les salons, les littérateurs trouvent des protecteurs et un public, dans les académies une consécration et surtout une organisation, des règles (en créant l'Académie française en 1634, Richelieu lui assigne pour premières tâches la fixation de la langue et l'établissement d'un dictionnaire), à la cour des moyens de subsistance. Sur ce dernier point, il convient de souligner que le littérateur n'est pas au premier chef un courtisan, mais qu'il se considère comme un fonctionnaire : il a conscience qu'il ne peut vivre seul, indépendant et par ses propres moyens, et que la seule obédience qui sauvegarde sa dignité d'homme est l'obédience royale.

Retirée au sommet de la société, la littérature du XVIIe siècle ne prétend pas pour autant être en dehors de la vie. Bien au contraire, le goût de la vie, la présence dans l'actualité inspirent les œuvres maîtresses de cette époque, et c'est à travers elles que romanciers, poètes, prédicateurs, auteurs de théâtre visent à retrouver l'universel — de même que c'est grâce aux servitudes matérielles de la forme qu'ils recherchent la pureté, la perfection. Boileau est le symbole, en même temps que le codificateur, de ce mouvement. Proche de l'événement, qu'il célèbre ou qu'il met en satire, il donne à l'œuvre son sens, sa tendance à l'humain universel, et sa forme, les règles de son expression.

Quelque sévérité que l'on puisse légitimement concevoir à son encontre (pour ses injustices, le caractère souvent stérilisant de sa « législation », l'étroitesse de son génie), Boileau est le modèle du littérateur et de l'intellectuel au temps du « classicisme ».

La préciosité et le burlesque ne sont que des formes exagérées ou détournées de cet attachement à la réalité humaine : la préciosité est « l'enrichissement du moi par le moi se prenant pour son propre objet et se présentant aux autres comme objet d'art » (1) ; quant au burlesque, s'il cherche un refuge au-delà du réalisme et de la rationalité, il suppose ce dont il est la parodie, le réel, l'humain — initialement perçus dans une cruelle vérité.

Le XVII<sup>e</sup> siècle n'est donc pas, comme le répètent trop souvent les manuels de l'enseignement secondaire, un siècle de convention, fertile en virtuosité et en exercices, mais une époque s'accordant à l'intention de Montaigne pour qui la véritable étude de l'homme c'est l'homme. On ne saurait tirer argument du classicisme et de ses formes annexes pour une gratuité de la littérature.

## IV. — Les « lumières »

S'il est, comme on vient de le voir, excessif de dire que le XVIII<sup>e</sup> siècle découvre l'homme, l'homme à la connaissance et au bonheur duquel il se consacre est sans doute plus concret que ne l'était, malgré tout, celui du XVII<sup>e</sup> siècle. C'est en tout cas un homme plus proche de la nature et qui tend à exercer sa puissance sur le monde : « Il n'y a de

(1) Pierre Barrière, *op. cit.*, p. 238.

véritables richesses que l'homme et la terre », écrit Diderot dans l'article « Homme » de l'*Encyclopédie*. L'*Encyclopédie*, qui est un des grands moments de l'histoire culturelle de l'humanité, vise à faire le tour des connaissances, non sous l'effet d'une curiosité gratuite (nous sommes loin de l'érudition effrénée du XVI^e^ siècle), mais pour affirmer ou rendre possible la possession de l'univers par l'homme. Le progrès des connaissances favorisera celui de la morale (cf. Condorcet et son *Esquisse d'un tableau des progrès de l'esprit humain*). Telles sont les « lumières » : des connaissances précises et utiles pour l'émancipation de l'homme. La philosophie des « lumières », l'*Aufklärung*, est avant tout, suivant la définition de Kant, « l'émancipation de l'homme sortant de la minorité intellectuelle où il a vécu jusqu'alors du fait de sa propre volonté », et sa formule est : « *Sapere aude*, ose faire usage de ton jugement ! »

L'extension du contenu culturel postule une démocratisation, au moins théorique, de son élaboration et de sa diffusion. Nombre de bourgeois accèdent au rang d'intellectuels : des magistrats, des médecins, des marchands, des artisans, qui vont acheter des livres et souvent les lire, lorsqu'ils n'exerceront pas leur plume dans d'intarissables correspondances ou mémoires. Certains d'entre eux se détacheront parmi les plus grands noms du siècle : un Diderot, qui vit de son travail d' « éditeur », un Rousseau, qui doit sa subsistance à ses œuvres en même temps qu'à ses protections (celle de Mme d'Epinay principalement), se distinguent d'un monde d'amateurs éclairés et fortunés, un baron d'Holbach, un Montesquieu et un Buffon même, sinon un Voltaire.

Les salons et les cours (le « despotisme éclairé »

est le sommet de l'action des « philosophes » comme inspirateurs du prince) continuent d'accueillir les intellectuels ; il faut y ajouter les cafés, les clubs où ils s'expriment avec une plus grande liberté et, peut-être aussi, obtiennent un élargissement de leur audience. Elargissement relatif, car la culture est encore loin d'avoir une diffusion populaire : l'instruction est peu répandue, les livres ont des tirages limités, ils coûtent cher et circulent peu.

La part des intellectuels dans la Révolution française est discutée. On peut dire que, si la marque des « philosophes » est incontestable dans l'élaboration des idées de la Révolution, ils n'ont pas de responsabilité directe dans le soulèvement révolutionnaire lui-même. Encore ne s'agit-il, en ce qui concerne l'influence idéologique, que d'une influence diffuse : celle du voltairianisme plus que celle des œuvres de Voltaire, celle du rousseauisme plus que celle des œuvres de Rousseau... Il est significatif que la *Déclaration des droits de l'homme et du citoyen* de 1789 ne définit pas expressément le droit de tous à la culture ; elle ne mentionne qu'une égalité théorique pour l'accession aux fonctions publiques et pour l'expression politique (droit de parler, d'écrire et d'imprimer librement). Sans doute la Constituante se préoccupa-t-elle de l'instruction publique et la Législative comme la Convention examinèrent-elles de nombreux plans en ce sens (en particulier celui de Condorcet, jugé « trop scientifique ») ; mais il faut bien reconnaître que l'œuvre essentielle de ces Assemblées fut le démantèlement des académies, des Universités et la mise au pas, sinon l'élimination, des intellectuels, poètes ou savants, soupçonnés d' « aristocratie » ou de « barbarie ». « Ce ne sont pas des savants qu'il nous faut, ce sont des hommes libres et dignes de l'être », disait un conventionnel. Opposition singulière, inspirée par la peur d'une contre-révolution, mais justifiant une répression et une régression redoutables. Le jugement que Chaptal portera sur cette époque est d'une extrême sévérité : « L'éducation publique est presque nulle partout ; la génération qui vient à toucher à sa vingtième année est irrévocablement sacrifiée à l'ignorance. »

Il faut attendre le Consulat et l'Empire pour que l'enseignement soit réorganisé en France. Suivant le vœu de Condorcet et des encyclopédistes, Napoléon établit une « éducation nationale » : la loi du 10 mai 1806, créant l'Université impériale, fait de celle-ci « un corps chargé exclusivement de l'enseignement et de l'éducation publique dans tout l'Empire ». L'enseignant ne bénéficie plus, comme l'universitaire de la belle époque médiévale, d'une large autonomie vis-à-vis des institutions civiles ; ainsi que le dit Chaptal, l'un des artisans de la réorganisation, il est d'abord un « fonctionnaire public » : « Les instituteurs sont fonctionnaires publics ; leur création est faite en vertu de la loi ; la science qu'ils enseignent est désignée par elle... C'est ici une véritable institution nationale. » La préparation à l'enseignement est assurée par l'Ecole Normale, fondée en 1810 et conçue par Napoléon comme un véritable séminaire où les élèves doivent s'imprimer sans réserves de la doctrine impériale. L'évolution ne fut pas toujours conforme au désir de l'empereur et l'Université contribua elle-même à alimenter la catégorie des « idéologues », qu'il haïssait farouchement.

« Fille de Buonaparte », l'Université eut, en outre, de nombreux ennemis dans les rangs des intellectuels déjà marqués par le romantisme et le culte de la liberté individuelle. Pour Lamennais, elle n'était qu'un « monstreux édifice, de toutes les conceptions de Buonaparte, la plus effrayante pour l'homme qui réfléchit, la plus profondément anti-sociale ». Toutefois, on peut dire que les grands aspects de la vie culturelle, en France et dans les principaux pays de l'Europe occidentale, sont fixés. Avec des variantes, suivant l'évolution politique et sociale, les modes littéraires, ils subsisteront jusqu'à nos jours : tantôt, l'Université est l'animatrice du mouvement ; tantôt, elle le freine ; toujours, elle fournit les cadres intellectuels.

## V. — Vers un nouvel « humanisme »

Romantisme, libéralisme, naturalisme, socialisme, etc. : les « ismes » successifs du XIXe siècle établissent chacun un équilibre différent autour de la notion d'homme ; mais peu à peu se précise la dimension prométhéenne de l'homme, qui est la grande redécouverte de la culture contemporaine.

L'humanisme romantique tient dans la définition célèbre de Victor Hugo : « Cette peinture profonde du Moi qui est peut-être l'œuvre la plus large, la plus généreuse, la plus universelle qu'un penseur puisse faire. » Elle reprend l'intention de Montaigne et la prolonge. L'écrivain n'a plus seulement pour objectif la connaissance intime, mais l'exemplarité, l'universalité. Poètes, romanciers, historiens allient le mode lyrique au mode épique pour illustrer la vérité de l'homme, c'est-à-dire sa liberté. Le propos que Michelet applique à la France se vérifie pour toute personnalité : « C'est le puissant travail de soi sur soi, où la France, par son progrès propre, va transformant tous ses éléments bruts... La vie a sur elle-même une action de perpétuel enfantement qui, de matériaux préexistants, nous crée des choses absolument nouvelles... La France a bâti la France... Elle est fille de sa liberté. Dans le progrès humain, la part essentielle est à la force vive, qu'on appelle homme. L'homme est son propre Prométhée. »

Pas n'importe quel homme, ajoutera Marx : l'homme libéré de l'aliénation économique. Au-delà du romantisme, du libéralisme, le socialisme, mieux le communisme, assurent le règne de la liberté : « Le communisme, étant un naturalisme achevé, coïncide avec l'humanisme ; il est la véritable fin de la querelle avec la nature et entre l'homme et l'homme, il est la véritable fin de la querelle entre l'existence et l'essence, entre l'objectivation et l'affirmation de soi, entre la liberté et la nécessité, entre l'individu et l'espèce. Il résout le mystère de l'histoire et il sait qu'il le résout » (Marx, *Notes pour la Sainte Famille*, 1845).

Toute la vie culturelle baigne désormais dans ce climat de régénération de l'homme par l'homme. Il n'est pas excessif de voir dans le marxisme la philosophie dominante de l'époque contemporaine. Non que l'évolution de l'esprit soit arrêtée : au contraire, la part est belle pour les idéologies (au sens où Sartre entend ce mot dans *Critique de la raison dialectique*), qu'elles soient d'opposition, de complément ou de diffusion. Une de ces idéologies de complément est celle qui insiste sur le caractère libératoire de la culture. Même si les structures économiques et les mécanismes politiques pouvaient parvenir à libérer l'homme de l'aliénation analysée par Marx, subsisterait un péril commun à toutes les sociétés modernes : celui de l'objectivation de l'homme dans le travail et la consommation. « C'est alors, écrit à ce sujet Paul Ricœur, la fonction, non seulement des « humanités », mais de toute activité culturelle désintéressée, et, plus que tout, de la philosophie, de contrebattre l'objectivation par la réflexion et la méditation, de compenser l'adaptation de l'homme ouvrier à un travail fini et de l'homme du bien-être à un plaisir borné, par la considération de l'Ouvert, comme disait Rilke. L'humanisme est ce mouvement même de la compensation de l'objectivation par la culture (1). »

Une telle redéfinition de l'humanisme assigne à l'intellectuel une tâche essentiellement poétique, c'est-à-dire touchant au langage, à l'écriture. Tout asservissement doit être exclu pour que le langage, l'écriture puissent remplir leur fonction : le poète vaut par le désintéressement de sa parole. La mission libératrice de la poésie implique que celle-ci ait conscience des limites de l'humain. L'homme ne prend et ne conserve tout son sens que s'il évite de se faire plus qu'il n'est. La sobriété protège l'humanisme et épargne à l'intellectuel toute tentation de mésuser de la parole et de méconnaître la réalité.

L'évolution la plus récente des formes d'écriture se retrouve dans cette ambiance, faite à la fois d'inquiétude, de mauvaise conscience et d'optimisme. Roland Barthes a brillamment esquissé l'analyse de ce phénomène. « Dès l'instant où l'écrivain a cessé d'être un témoin de l'universel pour devenir une conscience malheureuse (vers 1850), avance-t-il dans *Le degré zéro de l'écriture*, son premier geste a été de choisir l'engagement de sa forme, soit en assumant, soit en refusant l'écriture de son passé (2). » Barthes distingue diffé-

(1) Paul Ricœur, Que signifie « humanisme » ? *Comprendre*, 15, mars 1956, p. 87.

(2) Roland Barthes, *Le degré zéro de l'écriture*, Paris, Editions du Seuil, 1953, 127 p.

rents types d'écriture, caractéristiques de l'époque : les écritures politiques, celle de l' « intellectuel » (au sens où, à gauche, on entend ce terme : l'intellectuel se situe « à mi-chemin entre le militant et l'écrivain, tirant du premier une image idéale de l'homme engagé, et du second l'idée que l'œuvre écrite est un acte »), et celle du révolutionnaire (qui, faute d'avoir trouvé un langage véritablement libre, n'hésite pas à reprendre, en une sorte de réalisme socialiste, « l'écriture du réalisme bourgeois, en mécanisant sans retenue tous les signes intentionnels de l'art ») ; l'écriture blanche ou l'écriture « au degré zéro ». Ecriture « amodale », « neutre », celle-ci « se place au milieu [des] cris et [des] jugements, sans participer à aucun d'eux ». Elle s'efforce de restituer l'innocence du monde, son état réel : elle n'est que l'instrument d'une connaissance objective. Excellemment utilisée par un Camus, l'écriture blanche est aussi celle avec laquelle les « sciences de l'homme » — dans la meilleure hypothèse du moins — expriment le résultat de leurs recherches. L'écrivain tend à ne plus être qu'un chercheur, doublé d'un scripteur.

Sans doute faut-il se garder de schématiser, surtout lorsqu'il s'agit de retrouver une évolution en cours. Cette tendance, qui semble abolir et la philosophie et la littérature, peut être considérée comme significative de notre temps ; elle n'en laisse pas moins subsister d'autre formes, plus traditionnelles, de langage. L'extension de la diffusion, par les formes populaires du livre et par les *mass media* (journal, radio, télévision, cinéma), tend à favoriser ces dernières : les catalogues de livres de poche, le palmarès des romans couronnés par le Goncourt, le Renaudot, etc., la liste des romans portés à l'écran ou qui font l'objet d'adaptation radiophonique, de bandes dessinées en témoignent de manière frappante. Nombre d'écrivains l'ont compris, qui, loin de chercher à remonter le courant, se laissent porter par lui. Ils forment même le gros de ces « milieux intellectuels et littéraires » qui font la petite histoire d'une société, sinon toujours la valeur et la réputation d'une culture.

***

De cette rapide histoire culturelle, nous avons vu se dégager diverses figures de l'intellectuel. Elles peuvent être regroupées autour de deux types : l'intellectuel enseignant et l'intellectuel écrivant. La fonction enseignante s'est développée dans le cadre des Universités médiévales : la parole dispensée aux élèves est pratiquement le seul instrument de l'intellectuel, le document écrit n'intervenant qu'à titre d'aide-mémoire. En dehors de l'Université, la littérature naissante est également verbale : le chant, la récitation sont plus que des modes de diffusion, des modes de composition. L'intellectuel est un homme public : il n'est rien sans ceux qui l'écoutent. Peu à peu, en liaison étroite avec les progrès du livre, la position de l'intellectuel se modifie : sans se substituer totalement à la parole, l'écriture assure à la pensée un support durable et une diffusion plus complexe. La signature que l'écrivain porte en tête de ses œuvres le désigne comme l'auteur authentique et accroît ses responsabilités : le contenu et la forme de l'œuvre demandent un soin plus attentif. L'intellectuel se recueille avant de se livrer à un public qu'il ne connaît pas et dont il ne peut suivre les réactions. Le souci de l'adaptation au lecteur amène souvent l'écrivain à n'exprimer que la culture de la société dans laquelle l'un et l'autre vivent. Toutefois, à chaque époque, des îlots de contestation peuvent être circonscrits : pas plus que le professeur, l'écrivain n'est entièrement conformiste.

Sans doute cette découverte de l'intellectuel devrait-elle aussi être faite à partir d'autres cultures que l'européenne. Sans doute, en Chine, aux Indes, en terre d'Islam, etc., l'apparition de l'intellectuel se présente-t-elle sous un jour différent. Toutefois, notre propos était d'esquisser l'analyse des fonctions culturelles de l'intellectuel, non le contenu culturel des civilisations ; l'inconvénient de nos silences — et de notre ignorance — en est réduit. A ce niveau, certaines analogies sont permises : la parole et l'écriture sont les instruments de toute culture.

## Chapitre II

# INTELLECTUELS ET SOCIÉTÉ

La culture n'est pas une abstraction, ni l'intellectuel un être désincarné. Sans aller jusqu'à établir une correspondance automatique entre telle invention technique, telle situation économique ou sociale et tel moment culturel ou tel type d'intellectuel, il convient de replacer notre sujet dans le cadre d'une histoire sociale globale. L'utilisation abusive qu'on a pu faire de Marx, à la suite de lectures insuffisantes ou mal digérées, ne doit pas en effet nous détourner des méthodes préconisées par l'historiographie récente. « Economies - sociétés - civilisations » : cette trilogie qui figure en sous-titre de la revue fondée par Marc Bloch et Lucien Febvre, les *Annales*, est un guide pour la recherche et la réflexion.

D'un point de vue sociologique, l'étude des intellectuels doit correspondre à un double objectif : retrouver, à partir de l'état d'évolution des sociétés, la nature et la place du groupe qu'ils constituent, c'est-à-dire le sens et le degré de leur intégration sociale ; déterminer les différentes positions qu'ils peuvent avoir en face des institutions et dans la vie publique, c'est-à-dire le sens et le degré de leur participation politique.

Sur l'un et l'autre de ces points, la tâche n'est

pas aisée : les études sont rares, et celles qui existent dissimulent mal, sous une façade sociologique, des préoccupations normatives. Les documents ne sont guère plus abondants : les statistiques nationales apportent peu d'éléments à un niveau de précision aussi grand ; les sondages d'opinion, qui permettraient de connaître l'avis des intéressés, font presque totalement défaut... Nous en serons trop souvent réduit à présenter, sur un arrière-plan d'histoire économique et sociale et avec des soucis d'ordre sociologique, des indications d'origine diverse, littéraire notamment. La manière encyclopédique cède ici nécessairement la place à l'exposé problématique. Il serait souhaitable que des recherches soient menées sur des points précis : le cas échéant, nous formulerons quelques suggestions et signalerons quelques repères.

## I. — Les intellectuels dans la société

1. **La nature du groupe.** — Il n'est pas de concept plus utilisé et, finalement, pas de plus imprécis que celui de classe sociale. Est-il ou non licite de l'appliquer aux intellectuels ? Saint-Simon pouvait, lorsqu'il ne se contentait pas d'une simple énumération des professions, parler de la « classe des hommes de génie », parce qu'en réalité toute son attention se portait sur la « classe des industriels » et qu'il envisageait les « hommes de génie » comme des « industriels » d'une espèce particulière : il utilise même, pour désigner les intellectuels, l'expression d' « industriels théoriques ». De nos jours, quels que soient les critères retenus pour définir une classe — que l'on mette l'accent sur le niveau de vie, sur le genre de vie, sur la place dans le système de

production, sur la conscience de classe, etc. — il ne semble pas possible de parler en termes rigoureux d'une « classe intellectuelle ».

S'ils évitent cette formule, les écrivains communistes présentent volontiers les intellectuels comme une « couche sociale » homogène. Ainsi, Jean Kanapa souligne le fait que la situation de l'intellectuel dans la société contemporaine est marquée par plusieurs traits communs : originaires de la bourgeoisie pour une part et des classes moyennes pour l'essentiel, les intellectuels français ne sont que très rarement d'origine populaire. La condition des intellectuels ne cesse de se prolétariser, qu'il s'agisse des professeurs ou des artistes : « ... La plus grande partie des intellectuels, écrit J. Kanapa, sont des salariés, des salariés exploités, des « prolétaires en faux-cols » et... ils ne vivent maintenant pas mieux que les travailleurs manuels et, pour une fraction non négligeable d'entre eux, parfois même plus mal. » Malgré cette évolution de leur condition matérielle, les intellectuels français n'en retrouvent pas moins leurs origines, en ce qu'ils sont les porteurs et les diffuseurs de l'idéologie dominante, c'est-à-dire de l'idéologie de la classe dominante : « Volontairement ou involontairement..., l'intellectuel est le héraut de l'idéologie bourgeoise (1). »

Cette analyse est la transposition, inversée pour les nécessités de l'application au monde capitaliste, de la doctrine soviétique sur le sujet : le *Dictionnaire philosophique* de Moscou, nous l'avons vu, définit l'*intelligentsia* comme une « couche sociale intermédiaire ». Si l'origine sociale des intellectuels soviétiques est en principe plus diversifiée, ils sont

(1) Jean KANAPA, *Situation de l'intellectuel*, Paris, Les essais de « La nouvelle critique », 1957, pp. 54 et 82.

également issus des milieux dominants. Leur niveau de vie, comme celui des intellectuels occidentaux, a tendance à se dégrader : M. Khrouchtchev n'a-t-il pas regretté récemment que certains conducteurs de tracteurs gagnent plus d'argent que certains médecins ? Enfin, les intellectuels soviétiques sont eux aussi les hérauts du régime — que cela soit involontaire ou volontaire, que cela résulte de leur origine, de leur formation, de l'environnement, ou d'une volonté délibérée d'être les « ingénieurs des âmes » dont parlait Jdanov.

Dans le cas de l'Union soviétique, la notion de « couche sociale » appliquée aux intellectuels recouvre assurément une grande diversité. Le recrutement ne s'est pas démocratisé de manière uniforme : entre l'artiste de grande tradition culturelle et l'ingénieur d'humble extraction, la communauté est sans doute plus apparente que réelle. Les niveaux et les modes de vie sont soumis à de fortes variations : le médecin de M. Khrouchtchev peut légitimement envier le sort de tel musicien ou de tel littérateur officiels. Diversité également dans le degré de conscience idéologique — entre les intellectuels membres du parti communiste et ceux qui ont persisté à ne pas l'être, et même entre membres du parti.

En France, comme dans la plupart des autres pays de démocratie occidentale, l'homogénéité de la « couche sociale » formée par les intellectuels est totalement illusoire. L'hétérogénéité des intellectuels tient d'abord à des causes matérielles. Si la condition de certains intellectuels, par exemple celle des membres de l'enseignement (celle des instituteurs notamment, et aussi celle des professeurs du second degré et de l'enseignement supérieur), s'est incontestablement dévalorisée depuis le début du XX<sup>e</sup> siècle, on ne saurait en dire autant de toutes les professions libérales. Durant ces dernières décennies, les professions intellectuelles n'ont cessé de se diversifier les unes par rapport aux autres : à l'intérieur de certaines professions libérales, le fossé paraît s'être creusé entre les catégories les plus favorisées et les autres, tandis qu'on constate généralement un nivellement par le bas pour les professions du secteur public.

D'autres facteurs, historiques et géographiques, sont à prendre en considération. L'évolution des professions intellectuelles n'est ni identique ni rectiligne. Certaines ont subi une régression ou sont parfois même en voie de disparition par suite de transformations dans la vie économique ou les rapports sociaux (cf. l'amenuisement de certaines professions juridiques) : cette défaveur entraîne pour leurs membres un complexe d'infériorité, qui accentue l'opposition. D'autres, au contraire, sont en progression constante : les ingénieurs et les techniciens tiennent parmi les intellectuels une place croissante et ils tendent à constituer un monde à part qui accepte généralement fort mal d'être qualifié d'intellectuel. D'autres, enfin, stagnent, mais ont l'impression d'être dévalorisées dans un monde en progrès, où l'augmentation du nombre des étudiants, l'accession des femmes aux carrières intellectuelles engendrent des bouleversements notables.

La géographie importe presque autant que l'histoire et il faut se garder d'une optique trop exclusivement déterminée par la vie ou la réputation des grandes métropoles. Déjà sensible en France, où pourtant la centralisation a regroupé les foyers culturels les plus vivants, les instruments de travail tels que les grandes bibliothèques, et fait de Paris, en permanence ou par intermittence, la patrie de nombre d'intellectuels, la différenciation géographique est combien plus nette dans des pays comme les Etats-Unis où les Universités et les centres culturels se trouvent répartis en des points qui rivalisent de réputation. Dans tous les pays, les besoins économiques, les hiérarchies administratives imposent ou traduisent une dispersion géographique de l'élite intellectuelle : fragmentation sociale, voire opposition et jalousie en sont les conséquences inéluctables.

Si le concept de « couche sociale » s'évanouit, il semble bien qu'il ne soit pas nécessaire de lui chercher un substitut. Remplacer un mot par un autre, par le jeu d'un nominalisme puéril, ne fait pas avancer la connaissance. Mieux vaut conserver aux intellectuels l'indétermination conceptuelle et poursuivre l'analyse aux différents niveaux de la réalité, quitte à ne pas trop s'aventurer aux frontières, dans les zones marginales du sujet.

2. **L'importance du groupe.** — Elle est fonction de l'état économique et social. Plus une économie, une société sont développées, plus les intellectuels sont nombreux et plus les bases de leur recrutement devraient être élargies. Les raisons de ce phénomène sont assez simples : œuvre d'experts et de techniciens, le développement économique appelle la formation d'un nombre sans cesse croissant de cadres, sans égard à leur origine sociale, et, lorsqu'il n'est pas considéré comme une fin mais comme un moyen d'élévation générale, il entretient une émulation qui rejaillit sur la vie culturelle elle-même.

De nombreux exemples pourraient être fournis à cette règle. Evoquons seulement le cas des « démocraties populaires » et tout spécialement de la Pologne : en sept ans, de 1949 à 1956, d'après les estimations d'un sociologue polonais, ce pays a formé plus de travailleurs intellectuels qu'il n'en comptait au total en 1931 (moins de 650 000 personnes) ; le rythme d'accroissement se traduit dans les chiffres suivants qui indiquent les diplômes délivrés par les établissements d'enseignement supérieur : à l'issue de l'année scolaire 1937-1938, 6 100 diplômes ; 1946-1947, 4 300 diplômes ; 1949-1950, 14 600 diplômes ; 1956-1957, 19 424 diplômes. La répartition de ces 19 424 diplômes suggère que les impératifs du développement économique entraînent dans un pays de tradition culturelle et artistique pourtant très forte un gonflement des études techniques (7 524 diplômes), au détriment des études classiques (1 609 juristes diplômés et seulement 1 103 diplômes de lettres) et même des sciences pures (911 diplômes). Le problème qui se pose maintenant avec le plus d'acuité à l'*intelligentsia* polonaise est celui de l'harmonisation entre intellectuels de type ancien (les intellectuels polonais ayant toujours constitué un milieu à part, veillant jalousement au maintien de son originalité par rapport au reste de la société) et intellectuels de type nouveau, issus des couches populaires ou formés suivant des méthodes d'éducation accélérée. On voit par là que l'importance numérique ne compte pas seule : une progression trop rapide peut n'être pas suffisamment contrôlée et provoquer une paralysie culturelle momentanée (1).

En France, pays d'économie stabilisée ou en

(1) Sur les intellectuels polonais à l'heure actuelle, voir : *Les intellectuels en Pologne populaire*, document multigraphié de l'Agence polonaise de Presse, décembre 1958, 62 p. De même : J. Szczepański. Changement dans la structure et les fonctions de l'*intelligentsia*, *Bulletin international des sciences sociales*, IX (2), 1957, pp. 191-205.

progression continue, la situation se présente de manière différente. L'accroissement des effectifs universitaires se traduit en une courbe régulière (en 1949-1950, l'Université comptait 131 000 étudiants ; en 1961-1962, environ 235 000 ; pour 1970-1971, on en prévoit plus de 450 000), mais la démocratisation des étudiants est insensible (dans les 3 % d'une classe d'âge parvenant au niveau de la licence, la part des jeunes issus des milieux populaires est dérisoire). Sans doute les choses se modifieront-elles, sur ce point, dans les années à venir ; il est peu probable qu'une augmentation si spectaculaire des effectifs aille sans une certaine démocratisation du recrutement. Toutefois, la mobilité sociale étant plus lente en pays d'économie anciennement industrialisée qu'en pays de construction économique, ne peut-on pas craindre que les effets en restent limités (1) ?

Les Etats-Unis, eux, sont prémunis contre la sclérose par l'importance de leurs effectifs universitaires et par la diversité de l'origine sociale des étudiants. De 3 millions actuellement, le nombre des étudiants américains atteindra sans doute 6 millions en 1970 ; la proportion des jeunes d'une classe d'âge au niveau du *bachelor of arts* (niveau, il est vrai, légèrement inférieur à la licence) passera de 15 %, en ce moment, à 20 %, ce qui implique une assez large démocratisation des effectifs universitaires (2).

(1) Sur l'évolution des effectifs universitaires en France, Commissariat général du Plan, *Rapport général de la Commission de l'Equipement scolaire, universitaire et sportif, IV^e Plan (1962-1965)*, Paris, Imprimerie nationale, 1961, pp. 66-71.

(2) Ces pourcentages sont des moyennes entre blancs et non blancs : l'accession de ceux-ci à l'enseignement supérieur étant encore assez limitée, le recrutement des blancs est, ou sera, en fait, sensiblement plus large.

**3. L'intégration du groupe.** — Paradoxalement le groupe ne peut s'intégrer que s'il existe et il n'existe que s'il a conscience de lui-même, c'est-à-dire de ce qui le sépare des autres hommes.

Les intellectuels américains en fournissent une bonne illustration. Jusque vers la fin du siècle dernier, ils ne se pensaient pas en tant que groupe et le terme même d'intellectuel ne leur était pas appliqué. Ce n'est qu'à l'orée du XX^e^ siècle que se développe la conscience de groupe, le nombre des intellectuels s'étant accru et l'économie ayant atteint un certain degré de maturation. L'intégration sociale est alors possible grâce à la spécialisation rapide des fonctions et des connaissances. Toutefois, la conscience de groupe n'ayant pas disparu, les éléments extérieurs — qui sont tels en réalité ou qui cherchent à se faire passer pour tels — rejettent les intellectuels dans leur singularité. C'est ainsi que dans l'entre-deux-guerres se créent et se développent les réflexes d'anti-intellectualisme. Le principal reproche qui est adressé aux intellectuels est de n'être pas comme les autres hommes, d'avoir une intelligence compliquée, une sentimentalité tortueuse, bref d'être efféminés ; les sommets de l'anti-intellectualisme sont atteints vers 1952, au moment de la fameuse querelle des *egg-heads* ; un texte résume cette péripétie, celui de Louis Bromfield (dans *The freeman*, 1^er^ décembre 1952) qui définit ainsi l'intellectuel :

« Une personne de fausses prétentions intellectuelles, souvent un professeur ou le protégé d'un professeur, fondamentalement superficiel. Exagérément émotif et féminin dans ses réactions à n'importe quel problème. Arrogant et dégoûté, plein de vanité et de mépris pour l'expérience des hommes plus sensés et plus capables. Essentiellement confus dans sa manière de penser, plongé dans un mélange de sentimentalité et d'évangélisme violent. Partisan doctrinaire du socialisme et du totalitarisme d'Europe centrale, en opposition aux idées gréco-franco-américaines de démocratie et de libéralisme. Soumis à la philosophie morale démodée de Nietzsche, philosophie qui le conduit souvent à la prison et à la honte. Pédant plein de lui-même, porté à considérer une question sous tous les aspects au point de se vider le cerveau. Un cœur saignant mais anémique (1). »

De nos jours, les intellectuels anglais ne posent sans doute guère de problèmes d'intégration. La rareté, pour ne pas dire l'inexistence, des études qui leur sont consacrées est, semble-t-il, significative de leur réconciliation avec le reste de la société (2). La guerre a ressoudé l'accord de l'intelligence et du patriotisme, que la période critique des années 1930 avait fortement mis en question. George Orwell ne pouvait-il pas écrire, en 1941, que « depuis 1930, à peu près, chacun de ceux qu'on pourrait appeler les « intellectuels » a vécu dans un état de fureur soutenue contre l'ordre établi de la société » ? Cette inadaptation, provoquée par les gens en place et entretenue par les intellectuels eux-mêmes, avait trouvé dans l'auteur de *England your England* un analyste impitoyable bien que mesuré :

(1) Cité par Raymond ARON, *L'opium des intellectuels*, p. 240. Sur ce sujet, voir Merle CURTI, *American paradox : the conflict of thought and action*, Rutgers University Press, 1956, IX-116 p. L'auteur cite, p. 69, le jugement du président Eisenhower : « L'intellectuel est une personne qui utilise plus de mots qu'il n'en faut pour dire plus qu'il n'en sait » (discours prononcé à Los Angeles le 24 septembre 1954).

(2) Dans une étude d'ensemble sur les « différences sociales » en Angleterre (*English social differences*, Londres, Allen and Unwin, 1956, 318 p.), T. H. PEAR ne mentionne l'*intelligentsia* qu'en rappelant une définition assez vague et peu propice à une différentiation, donnée par G.D.H. Cole en 1950 dans un essai sur les classes moyennes.

« En intention, en tout cas, les intellectuels anglais sont européanisés. Leur cuisine vient de Paris et leurs opinions politiques de Moscou. Au milieu du patriotisme général de l'Angleterre, ils forment un îlot de dissidence. L'Angleterre est peut-être le seul grand pays où les intellectuels aient toujours honte de leur propre nationalité. Ceux qui fréquentent les milieux de gauche sentent toujours qu'il y a quelque chose d'un peu honteux à être anglais, et que leur devoir est de ricaner devant chaque institution anglaise, depuis les courses de chevaux jusqu'aux *suet puddings*. C'est un fait étrange, mais véridique, que n'importe quel intellectuel anglais aurait plus honte s'il se tenait au garde-à-vous pendant *God save the King* que s'il volait la caisse des pauvres. Pendant toutes les années critiques que nous venons de traverser, bien des hommes de gauche sapaient le moral et essayaient de répandre une attitude parfois d'un pacifisme mou, parfois violemment pro-russe, mais toujours contre l'Angleterre (1). »

Les intellectuels français ont été moins heureux encore que leurs collègues américains ou britanniques. Il est vrai qu'il y a toujours eu de leur part une conscience de groupe excessive. En tant qu'intellectuels, ils sont nés dans la polémique, c'est-à-dire séparés. S'ils ont, par la suite, cherché à s'intégrer dans la vie sociale, ils étaient animés d'intentions pédagogiques ou morales qui les maintenaient au-dessus de la mêlée. Les nécessités économiques n'ont pas assuré le même brassage qu'initialement aux Etats-

(1) George Orwell, « L'Angleterre est à vous », dans *Essais choisis*, traduits en français par Philip Thody, Paris, Gallimard, 1960, p. 291. Sur la séduction du communisme auprès des intellectuels anglais dans les années 1930 et ce qu'il en est advenu depuis, voir Neal Wood, *Communism and British intellectuals*, New York, Columbia University Press, 1959, 256 p.

Unis : l'entrée dans les cadres de l'économie (le « pantouflage » comme on dit, de manière significative, pour désigner le passage d'un cadre du secteur public dans le secteur privé) équivalait — et équivaut parfois encore — à une renonciation à la qualité d'intellectuel ou à une exclusion du groupe. Cette situation « privilégiée » a constamment exposé les intellectuels français à l'attention critique ou aux quolibets de leurs concitoyens, cédant volontiers à la tentation de les juger comme s'ils étaient en dehors du corps social.

En effet, pour un Saint-Simon qui voit dans les physiciens, les chimistes, les physiologistes, les mathématiciens, les poètes, les musiciens, les littérateurs, etc., la fleur de la société française, l'âme du corps national, combien de nationalistes sourcilleux, de réformateurs intempestifs, de socialistes arrivés ou de démagogues virulents pour dénoncer les « méfaits des intellectuels ». Citons, entre autres, Barrès qui, dans *Scènes et doctrines du nationalisme*, définit l'intellectuel comme « l'individu qui se persuade que la société doit se fonder sur sa logique, et qui méconnaît qu'elle repose en fait sur des nécessités antérieures et peut-être étrangères à la raison individuelle » (1). Edouard Berth, qui affirme qu' « il n'y a pas de régimes plus corrompus que ceux où les intellectuels détiennent une place considérable » : « Cette espèce de caste, les intellectuels, écrit-il dans *Les méfaits des intellectuels*, qui, en possession de l'Etat, essaie d'imposer à la cité moderne cet idéal nauséabond, négation des antiques valeurs héroïques, religieuses, guerrières et nationales, comme des modernes valeurs ouvrières, et

(1) Maurice Barrès, *Scènes et doctrines du nationalisme*, Paris, F. Juven, 1902, p. 45 ; le chapitre II est intitulé « Les intellectuels ou logiciens de l'absolu ».

qui s'intitule idéal humanitaire, pacifiste et rationaliste (1). » Robert Lacoste, qui n'hésite pas, en juillet 1957, à proclamer devant les anciens combattants d'Algérie : « Sont responsables de la résurgence du terrorisme, qui a fait à Alger, ces jours derniers, vingt morts et cent cinquante blessés, les exhibitionnistes du cœur et de l'intelligence qui montèrent la campagne contre les tortures. Je les voue à votre mépris (2). » *Primus inter pares*, Jean Cocteau, qui n'a pas attendu l'apostrophe du ministre socialiste :

Question. — Que méprisez-vous le plus au monde ?

Jean Cocteau. — Les intellectuels...

Question. — Croyez-vous au diable... ?

Jean Cocteau. — Dieu a chargé le diable de porter ses joyaux. En outre si, comme le déclare Luther, Dieu est bête, c'est que le diable est un intellectuel, race que je déteste. Et j'approuve Luther de lui avoir envoyé un encrier à la figure : puisque le diable est un intellectuel, c'est tout ce qu'il mérite (3).

Pierre Poujade, dont l'admonestation reprend un thème barrésien et recèle un anti-intellectualisme profond, populaire : « Ce n'est pas à moi, qui à seize ans gagnais ma vie, de te dire, à toi, intellectuel, ce qui est l'esprit de la France. Cependant, je peux et je dois me tourner vers toi, car, sans nous, tu ne serais rien d'autre qu'une machine à penser,

(1) Edouard BERTH, *Les méfaits des intellectuels*, Paris, Rivière, 1914, XXXVIII-335 p.
(2) Cité par *Le Monde* du 9 juillet 1957.
(3) Interview publiée dans *La Gazette de Lausanne*, 24-25 septembre 1955. Le dialogue se poursuit par cette déclaration de Jean Cocteau : « Mon génie s'est déguisé en intelligence. Tout mon drame est là. »

qu'un vulgaire tambour qui résonne, certes, mais qui, sous la peau, n'a que du vent. Pour que tu puisses faire rayonner notre pays, pour que ce que tu veux traduire soit une réalité, il te faut, comme les racines de l'arbre, aller chercher la substance au cœur même de la Nation (1). »

Ces diatribes expriment assurément des convictions, parfois aussi du dépit, de la jalousie. Les résultats d'une enquête menée par Michel Crozier auprès des employés d'une compagnie d'assurance de la région parisienne sont, à cet égard, révélateurs. L'enquêteur leur ayant demandé de quelle classe ils faisaient partie, 30 % des rédacteurs se rattachèrent à la « classe intellectuelle » contre 40 % à la classe moyenne, 5 % à la « classe bourgeoise » et 15 % à la « classe des travailleurs », plus de 10 % ayant refusé de répondre ou donné d'autres réponses. Les réponses furent différentes chez les employés aux écritures (classe moyenne 50 %, classe intellectuelle 10 %, classe bourgeoise 5 %, travailleurs 30 %, autres réponses ou refus 5 %) et chez les dactylos : classe moyenne 40 %, classe intellectuelle 20 %, travailleurs 30 %, classe bourgeoise 0, autres ou refus 10 %.

Poussant plus loin l'analyse, Michel Crozier remarque que, contrairement à ce qu'on aurait pu penser, ce ne sont pas surtout les employés ayant fait des études secondaires qui déclarent ainsi appartenir à cette mystérieuse « classe intellectuelle », mais plutôt ceux qui ont fait des études primaires supérieures ou même qui ont fait seulement des études primaires : « Leur origine sociale, écrit-il, est modeste — ils sont fils d'employés, d'ouvriers professionnels, de petits fonctionnaires

(1) Premier numéro de *Fraternité française*, janvier 1955.

et de petits commerçants — mais ils sont beaucoup plus souvent que leurs collègues Parisiens d'origine. Ce choix ne semble pas du tout avoir été fait par hasard, car les interviewés qui l'ont opéré ont un certain nombre de réactions communes : ils tiennent beaucoup à leur place dans la hiérarchie (ce sont les seuls non secondaires qui présentent ce trait) ; ils déclarent beaucoup plus que ceux qui choisissent d'autres classes que les classes dirigeantes ne sont pas à la hauteur, ils voient plus de « bons films » et lisent davantage de journaux respectables que les autres catégories. On pourrait parler à ce propos de classe d'aspiration. Il est curieux et significatif que ce soit le terme « intellectuel » qui symbolise cet effort d'ascension (1). »

## II. — Les intellectuels et la vie publique

La complexité de ce problème est grande. Elle tient d'abord à la passion que les intellectuels mettent à se dire concernés ou non par lui : les pamphlets, nombre d'études critiques ne font qu'accroître la confusion. D'autre part, les niveaux et les modes de participation sont multiples, et les moyens de les saisir sont trop souvent insuffisants.

La vie publique, pouvant se définir par ce qui n'est pas la vie privée, commence dès l'instant où l'intellectuel s'efforce de communiquer avec autrui. Elle revêtira un tour impersonnel si l'intéressé n'est qu'un compilateur sans âme ni originalité ; au contraire, la passion de l'expression entraînera un engagement total de la personnalité. Il pourra s'agir

(1) Michel Crozier et Pierre Guetta, *Une organisation administrative au travail*, Paris, Institut des Sciences sociales du Travail, 1956, multigraphié, 198 p.

d'une participation simplement fonctionnelle : le professeur qui prétend faire son seul métier de professeur n'en est pas moins un homme public dont la valeur professionnelle contribue à asseoir l'autorité et le prestige de l'ordre établi, ou dont il peut arriver que l'expression, par la succession et l'enchevêtrement des influences, dépasse l'intention. A l'autre extrémité, l'action révolutionnaire est l'accomplissement du rôle prophétique de l'intellectuel, cependant qu'entre ces deux attitudes, l'intellectuel se fera, pour reprendre une terminologie saint-simonienne, l'avocat du pouvoir ou le conseiller de la société. Ainsi, la participation de l'intellectuel à la vie publique oscille entre le maintien dans l'existence économique et sociale et l'engagement dans la politique active, en passant par les tâches d'administration et la réflexion morale.

1. **Fonctionnaires et ingénieurs.** — Nous entendons ces mots dans un sens large ; ils ne désignent pas ici des professions, mais des fonctions sociales. A côté des fonctionnaires et ingénieurs de profession, tous ceux qui, par destination ou par tempérament, ne participent à la vie publique que comme serviteurs de l'Etat, de l'économie, de la société... rentrent dans cette catégorie. Les intellectuels de ce type sont la majorité dans les pays de structures sociales anciennes ou stabilisées. A cause de leur masse et de la part qui leur revient dans le processus de production, il serait dangereux de ne pas en tenir compte — ce que l'on fait assez souvent — sous le prétexte que leur participation se situe à un niveau élémentaire. C'est un peu comme si, étudiant la participation des citoyens à la vie politique, on négligeait tous ceux qui ne sont pas des militants ou des « professionnels » de la politique... Une

telle mutilation enlèverait toute valeur sociologique à l'analyse. L'histoire sociale invite, en outre, à se méfier des catégories trop bien dessinées, car elles sont généralement sans perspectives : l'intellectuel apparemment « dégagé » d'aujourd'hui sera l'intellectuel « engagé » de demain, l'inverse étant également vrai. Les intellectuels chinois et les intellectuels russes en fournissent la meilleure preuve.

D'ancienne et riche tradition culturelle, le mandarin chinois pouvait apparaître comme le parangon de l'intellectuel « non engagé ». Il vivait à part, dans un monde numériquement restreint (définis de la manière la plus extensive, les mandarins formaient 2 % de la population, à la fin du siècle dernier) et socialement peu ouvert : bien qu'ayant découvert, des millénaires avant l'Occident, le papier et peut-être même l'imprimerie, l'élite chinoise a toujours répugné à la fabrication et à la diffusion commerciales du livre, pour se réfugier dans un extraordinaire luxe culturel. Une autre tradition des mandarins, celle du service de l'Etat, n'a fait, tout au long des siècles, qu'accentuer cette séparation : dans cette conception, la proximité du pouvoir éloignait du peuple. Les hauts postes de l'administration étaient occupés par un petit nombre de familles de sang impérial et noble, ou de traditions militaires. Dans une large mesure, l'élite chinoise était héréditaire (malgré un système d'examens), et on a pu établir que plus la stabilité politique était grande, plus le recrutement des mandarins était étroit (1).

La lutte révolutionnaire a bouleversé cette situa-

(1) Robert M. Marsh, *The mandarins. The circulation of elites in China, 1600-1900*, New York, The Free Press of Glencoe, 1961, surtout chap. VII.

tion, dans la mesure surtout où elle a revêtu un aspect nationaliste. Fatalité ou volonté, pour reprendre la distinction entre la position de Gisors et celle de son fils Kyo dans *La condition humaine*, l'idéologie révolutionnaire a transformé ces mandarins en intellectuels préoccupés d'assumer leurs responsabilités dans le mouvement émancipateur. L'adaptation de la langue, de la littérature, de l'art, aux masses est leur premier souci ; démasquer l'ennemi et servir de guide au prolétariat, tels sont les objectifs que Mao-Tsé-Toung rappelle aux « travailleurs littéraires et artistiques » en citant le grand initiateur, Lou Sin (mort en 1936) :

« Avoir les sourcils raidis, froids et sévères devant les milliers de gens hostiles.

« Mais baisser la tête, être volontiers le bœuf de l'enfant (1). »

Au contraire des mandarins chinois, l'*intelligentsia* russe naît sous le signe de l'opposition au pouvoir (2). Le terme d'*intelligentsia* est apparu dans les années 1860 (introduit, semble-t-il, par un romancier d'importance secondaire, Boborykin) pour désigner un groupe d'individus vivant, depuis 1830-1840, en marge de l'élite officielle. Professeurs sans chaire, écrivains et artistes sans moyens, nobles déclassés, ecclésiastiques sans bénéfices, etc., ces « vagabonds de la terre russe », marqués par l'influence du romantisme et de l'idéalisme allemands, ressentent vivement la condition « d'humiliés et d'offensés », selon le titre de Dostoïevsky, faite à leurs compatriotes. Constituant une véritable secte — Berdiaeff a pu

(1) Mao-Tsé-Toung, *Ecrivains et artistes dans la Chine nouvelle*, Paris, Seghers, 1949, 50 p. Texte d'un discours prononcé à Yenan en 1942.

(2) Sur l'*intelligentsia* russe et soviétique, on consultera le très important numéro de la revue *Dædalus*, 89 (3), été 1960, pp. 435-670.

dire un « ordre » — ils rivalisent d'émulation dans la critique et l'affirmation de la nécessité de reconstruire la société sur des bases « rationnelles », se partageant, en ce qui concerne les moyens d'y parvenir, en occidentalistes et en slavophiles. Si tous ont joué un grand rôle dans l'élaboration du climat révolutionnaire, seule une minorité de ces protestataires et de ces reconstructeurs est devenue révolutionnaire, au sens professionnel illustré par Lénine.

Après la révolution, le terme d'*intelligentsia* a subsisté, mais la réalité qu'il recouvre dans le monde soviétique est toute différente. Les intellectuels soviétiques sont devenus des fonctionnaires, après avoir renoncé au vagabondage et à la protestation. Même s'ils n'ont pas perdu tout esprit critique, ils s'intègrent étroitement dans un système idéologique et dans des catégories de production. Le romancier, le poète, la danseuse étoile, comme le professeur, le savant, l'ingénieur sont « en service » et travaillent à la construction du socialisme, et c'est le socialisme qui leur permet d'atteindre la perfection dans leur art ou de développer aussi rapidement leur science : le vol du premier cosmonaute a été présenté comme un critère de validité absolue du socialisme.

L'éducation et la fonction sont les traits distinctifs de la nouvelle *intelligentsia* soviétique. Le développement de l'instruction, l'industrialisation, l'encadrement administratif ont entraîné la croissance extrêmement rapide d'un groupe aussi largement défini. En regroupant les statistiques, on peut composer le tableau II, où s'inscrit l'évolution de 1926 à 1956 (1). A première lecture, ce tableau

(1) Cf. *Les progrès du pouvoir soviétique depuis quarante ans en chiffres*, recueil statistique édité par l'Office central de Statistique près le Conseil des Ministres de l'U.R.S.S., Moscou, éditions en langues étrangères, 1958, p. 241 sqq.

**Ta**

**Évolution de l' « intelligentsi**

| 1926 = 100 | 1926 |
|---|---|
| Administrations | 365 000 |
| Techniciens industriels | 225 000 |
| Techniciens agricoles | 45 000 |
| Professeurs et travailleurs scientifiques | 14 000 |
| Instituteurs et éducateurs | 381 000 |
| Écrivains, artistes, libraires, etc. | 90 000 |
| Médecins | 57 000 |
| Personnel médical auxiliaire | 128 000 |
| Planification et comptabilité | 650 000 |
| Justice | 27 000 |
| Étudiants | 168 000 |
| Autres groupes | 575 000 |
| TOTAL | 2 725 000 |

frappe par l'importance numérique des professeurs, des travailleurs scientifiques et des ingénieurs, cependant que les professions juridiques sont faiblement représentées.

Le classement des indices d'augmentation est plus intéressant encore que les chiffres absolus ; il révèle l'évolution de la structure de l'*intelligentsia* et reflète la physionomie sociale et les objectifs politiques de l'Union soviétique. En 1956, comme en 1937, les professeurs et les travailleurs scientifiques viennent au premier rang pour l'augmentation de leurs effectifs ; les techniciens industriels et agricoles les rejoignent, cependant que les écrivains, qui venaient en second en 1937, passent au neuvième rang, en

II

**étique de 1926 à 1956**

| 1937 | Indice d'augmentation | 1956 | Indice d'augmentation |
|---|---|---|---|
| 751 000 | 480 | 2 240 000 | 610 |
| 060 000 | 470 | 2 570 000 | 1 140 |
| 176 000 | 390 | 376 000 | 830 |
| 80 000 | 570 | 231 000 | 1 650 |
| 969 000 | 250 | 2 080 000 | 540 |
| 453 000 | 500 | 572 000 | 520 |
| 132 000 | 230 | 329 000 | 580 |
| 382 000 | 300 | 1 047 000 | 820 |
| 439 000 | 370 | 2 161 000 | 330 |
| 46 000 | 170 | 67 000 | 250 |
| 550 000 | 330 | 1 178 000 | 700 |
| 150 000 | 270 | 2 609 000 | 450 |
| 591 000 | 350 | 15 460 000 | 570 |

dessous de l'indice moyen. Parmi les autres faits notables : la montée du personnel médical et des médecins, liée à un effort sanitaire important ; la rétrogradation relative du personnel des administrations, surtout dans le domaine de la planification et de la comptabilité ; enfin, l'augmentation des étudiants a tendance à s'accélérer. Incontestablement, l'Union soviétique voit se créer ou se renforcer une élite de savants et de techniciens, élite fonctionnelle, centrée sur les découvertes scientifiques et la production économique — au détriment de l'élite de formation littéraire et juridique, qui a longtemps été l'apanage des plus anciennes civilisations.

Ces indications doivent être complétées sur un

**Indices d'augmentation (ordre décroissant)**
**des professions intellectuelles en Union soviétique**

| En 1937 | En 1956 |
|---|---|
| 1. Professeurs et travailleurs scientifiques. | 1. Professeurs et travailleurs scientifiques. |
| 2. Écrivains. | 2. Techniciens industriels. |
| 3. Administrations. | 3. Techniciens agricoles. |
| 4. Techniciens industriels. | 4. Personnel médical auxiliaire. |
| 5. Techniciens agricoles. | 5. Étudiants. |
| 6. Planification. | 6. Administrations. |
| | 7. Médecins. |
| *Indice moyen* | |
| 7. Étudiants. | |
| 8. Personnel médical auxiliaire. | 8. Instituteurs et éducateurs. |
| 9. Instituteurs et éducateurs. | 9. Écrivains. |
| 10. Médecins. | 10. Planification. |
| 11. Justice. | 11. Justice. |

point très important : la part prise par les femmes dans l'*intelligentsia* soviétique. En effet, à la fin de l'année 1956, il y avait, en Union soviétique, 53 % de femmes parmi les « spécialistes » possédant une instruction supérieure. Elles représentaient 75 % de l'effectif des médecins, 66 % des enseignants, écrivains, etc., 54 % des techniciens de l'économie, de la statistique, etc., 39 % des techniciens agricoles, 32 % des juristes et 28 % des techniciens industriels. Les dispositions constitutionnelles, affirmant l'égalité de l'homme et de la femme « dans tous les domaines de la vie économique, publique, culturelle, sociale et politique », sont donc en bonne voie d'application (surtout depuis 1941, la part des femmes dans l'*intelligentsia* ayant quadruplé pendant la période allant du 1er janvier 1941 au 1er décembre 1956) ; les répercussions de cette situation sont sûrement considérables (en regard notamment de la recherche scientifique et de la vie gouvernementale qui continuent, semble-t-il, à être dominées par les hommes) : rien ne nous permet de les apprécier de manière sérieuse.

La « technicisation » des professions intellectuelles se manifeste également aux Etats-Unis et dans la plupart des pays occidentaux qui cherchent à se maintenir dans la course de cette seconde moitié du XXe siècle. L'évolution y est toutefois moins nette ; cela ne traduit pas seulement un « retard » de l'Occident pris en faute, mais aussi, d'une certaine manière, une différence idéologique. Dans la mesure où il y a, à l'Est, une idéologie officielle qui dispense les esprits des spéculations philosophiques ou morales, l'*intelligentsia* s'en remet à l'Etat du soin de donner un sens aux tâches pratiques, qui lui sont demandées ; à l'Ouest, le libéralisme entretient la réflexion et la discussion sur les questions fondamentales : même dans la plus technicienne des cultures, la culture américaine, les idéologies, quoi qu'on ait dit de leur fin prochaine, se donnent libre cours. Certes le plus grand nombre des intellectuels y ressortit aussi à la catégorie des « fonctionnaires et ingénieurs », mais d'autres catégories se sont maintenues, quand elles ne se sont pas développées.

2. **Moralistes et objecteurs.** — Ce sont ceux dont on parle le plus. La plupart des auteurs considèrent même que ce sont les seuls vrais intellectuels (1). Cette conception, qui va chercher ses origines dans la république platonicienne et vit de la tradition de la philosophie des « lumières » et de l'*intelligentsia* de l'ancienne Russie, est fort répandue en France. De l'attachement à certaines valeurs, on déduit la nécessité de les illustrer, de les défendre et de s'opposer à qui pourrait les transgresser. La recherche de la vérité est la vocation de l'intellectuel. Les textes abondent en ce sens ; ainsi, Henri Barbusse écrit en 1921 :

« Les intellectuels — je parle de ceux qui pensent, et non des amuseurs et des charlatans, parasites et profiteurs de l'esprit — sont les traducteurs de l'idée dans le chaos de la vie. Qu'ils soient savants, philosophes, critiques ou poètes, leur métier éternel est de fixer et de mettre en ordre la vérité innombrable, par des formules, des lois et des œuvres. Ils en dégagent les lignes, les directions ; ils ont le don quasi divin d'appeler enfin les choses par leurs

(1) Certains auteurs préfèrent les appeler « hommes de culture », par opposition aux faux intellectuels. A ces vrais intellectuels est dévolu « l'art de la dialectique, qui fait d'eux en quelque sorte les intermédiaires naturels, le pont entre la justice positive et la justice idéale » (Umberto Campagnolo, Intellectuels et hommes de culture, *Comprendre*, 1962, nos 23-24, 6 p.).

noms. Pour eux, la vérité s'avoue, s'ordonne et s'augmente, et la pensée organisée sort d'eux pour rectifier et diriger les croyances et les faits. Par cette utilité sublime, les ouvriers de la pensée sont toujours au commencement du drame interminable qu'est l'histoire des hommes (1). »

A l'autre extrémité de l'éventail politique, Drieu La Rochelle envisage, pour l'intellectuel, un rôle analogue — avec sans doute moins d'assurance et plus de fébrilité ; selon lui, l'intellectuel est plus un voltigeur qu'un ordonnateur :

« L'intellectuel, le clerc, l'artiste, n'est pas un citoyen comme les autres. Il a des devoirs et des droits supérieurs aux autres...

« C'est le rôle de l'intellectuel, du moins de certains d'entre eux, de se porter au-delà de l'événement, de tenter des chances qui sont des risques, d'essayer les chemins de l'Histoire. Tant pis, s'ils se trompent dans le moment. Ils ont assuré une mission nécessaire, celle d'être ailleurs qu'est la foule. En avant, en arrière ou de côté, peu importe, mais d'être ailleurs...

« Je suis de ces intellectuels pour qui le rôle est d'être dans la minorité (2). »

La profession de foi de Pierre-Henri Simon s'apparente davantage à celle d'Henri Barbusse ; elle maintient l'intellectuel au-dessus de la mêlée, non dans l'attitude du provocateur, mais dans celle du prophète :

« L'inspiration et le mouvement [de l'Histoire] appartiennent à ceux qui pensent, c'est-à-dire à

(1) Henri Barbusse, *Le couteau entre les dents*, Aux Intellectuels, Paris, Editions Clarté, 1921, pp. 5-6.
(2) Drieu La Rochelle, Exorde, dans *Récit secret...*, Paris, Gallimard, 1961, pp. 97-98.

ceux qui posent, dans le jugement des faits et dans le choix des actes, les exigences de l'esprit : pas seulement les calculs de l'intelligence accordant les moyens aux buts, mais les raisons plus profondes, l'évaluation des fins elles-mêmes dans l'ordre de la vérité et de la justice (1). »

Autre texte, contemporain de celui de Pierre-Henri Simon, la définition donnée par Dionys Mascolo :

« Seuls nous retiendront les écrivains dont la vocation ne fait qu'un avec la conviction que la pensée n'est pas une spécialité, encore moins une fonction, mais qu'elle est une force dans le monde, que cette force est le bien de tous, et que la recherche de la vérité est son but (2). »

Analysant l'hostilité que le monde capitaliste engendre nécessairement à l'encontre de lui-même, Schumpeter voit dans les intellectuels le groupe social qui « brasse et organise les ressentiments, les alimente, s'en fait l'interprète et les dirige » (3). La naissance du capitalisme a accéléré le développement de la pensée rationnelle ; celle-ci établit la critique comme principe du progrès et des transformations. De plus, les derniers stades de la civilisation capitaliste se caractérisent par une forte expansion de l'éducation, qui, en créant une pléthore d'intellectuels, multiplie les occasions de ressentiment. Jointe au ressentiment, la rationalisation croissante des esprits débouche sur la cri-

(1) Pierre-Henri SIMON, *La France a la fièvre*, Paris, Ed. du Seuil, 1956, p. 21.
(2) Dionys MASCOLO, *Lettre polonaise sur la misère intellectuelle en France*, Paris, Les Editions de Minuit, 1957, p. 94.
(3) Joseph SCHUMPETER, *Capitalisme, socialisme et démocratie*, trad. fr., Paris, Payot, 1954, pp. 246-259.

tique sociale. Sans doute l'intellectuel ne tire-t-il pas de sa seule expérience — il s'en faut de beaucoup — tous les éléments de cette critique ; mais il a vocation à se faire le porte-parole des mécontents : « Ne disposant d'aucune autorité authentique, note l'auteur de *Capitalisme, socialisme et démocratie*, et se sentant constamment exposé au risque de se voir invité sans ambages à se mêler de ce qui le regarde, l'intellectuel doit flatter, surexciter, soigner les ailes gauches et les minorités gueulardes, prendre à cœur les cas douteux et submarginaux, pousser aux revendications extrêmes, se déclarer lui-même prêt à obéir en toute circonstance — bref, se comporter envers les masses comme ses prédécesseurs se sont successivement comportés envers leurs supérieurs ecclésiastiques, puis envers les princes et autres protecteurs individuels, enfin envers leur maître collectif de complexion bourgeoise. »

Dans *L'opium des intellectuels*, Raymond Aron a développé des thèmes analogues. Il s'en est pris violemment aux « intellectuels de gauche » français, coupables à ses yeux de récrimination systématique contre le capitalisme et son symbole, l'Amérique. Redresseurs de torts, ils s'acharnent sur la paille qui est dans l'œil de l'Occident, mais ne voient pas la poutre qui est dans celui du camp oriental. Au nom des droits sacrés de la critique morale et de la critique idéologique, ils s'en prennent en fait à une seule moitié du monde : « Démarche conforme à la logique des passions, conclut Raymond Aron. Combien d'intellectuels ont été vers le parti révolutionnaire par indignation morale, pour souscrire finalement au terrorisme et à la raison d'Etat (1). »

(1) Raymond Aron, *L'opium des intellectuels*, p. 221.

Pour lui les motifs économiques ne suffisent pas à expliquer une telle attitude ; la rancœur des intellectuels vient plutôt de la faiblesse de leur influence. Désireux de paraître plus qu'il n'est, l'intellectuel se retourne contre la politique ou l'économie qui le négligent ; une parcelle de pouvoir apaiserait son tourment.

Cette analyse est largement tributaire du contexte dans lequel elle a été esquissée. La « guerre froide », ayant surgi après les rêves contradictoirement pacifistes et révolutionnaires des années d'après la Libération, avait rejeté un certain nombre d'intellectuels français dans une hostilité irraisonnée vis-à-vis des Etats-Unis. Il était sans doute opportun de dénoncer ce travers : cela ne pouvait se faire sans quelque injustice à l'égard des personnes en cause. Malgré tout, le mérite de Raymond Aron est d'avoir bien démontré le mécanisme de la protestation des intellectuels. Il le fait de manière comparative ; en quelques mots il dégage l'art — qui, poussé au noir par l'auteur, est devenu une manie — des intellectuels français, par rapport à celui de leurs collègues anglo-saxons : « L'art des intellectuels britanniques est de réduire à des termes techniques des conflits souvent idéologiques, l'art des intellectuels américains de transfigurer en querelles morales des controverses qui concernent bien plutôt les moyens que les fins, l'art des intellectuels français d'ignorer et, bien souvent, d'aggraver les problèmes propres à la nation, par volonté orgueilleuse de penser pour l'humanité entière (1). »

On pourrait reconstituer l'histoire idéologique des intellectuels français, depuis quelque soixante-dix ans, à travers les grandes campagnes qu'ils ont

(1) Raymond Aron, *L'opium des intellectuels*, p. 258.

engagées, à l'aide des pétitions qu'ils ont signées. De l'affaire Dreyfus à la guerre d'Algérie, en passant par les événements de février 1934, la guerre d'Ethiopie, Munich, la Résistance, l'affaire Rajk, l'affaire Rosenberg, les affaires « coloniales » (Indochine, Tunisie, Maroc, etc.), l'affaire de Hongrie, l'affaire de Suez, etc., la liste est longue des communiqués de protestation, des pétitions, des comités et des réunions... Elle s'inscrit souvent sur deux colonnes, car, en face de ceux qui protestent, il y a ceux qui leur constestent le droit de le faire. L'analyse des textes permettrait de retrouver la permanence des thèmes, celle des signatures montrerait que de petits groupes d'hommes sont seuls concernés, qu'il s'agit chez eux d'une sorte d'activité réflexe et de néo-académisme. Suivant la terminologie de Max Weber, on pourrait dire qu'ils sont davantage animés par l' « éthique de conviction » que par l' « éthique de responsabilité ».

Cette catégorie d'intellectuels a une certaine cohésion — au moins globalement, car les frictions, les ruptures sur des points particuliers sont fréquentes. Comme dans beaucoup de minorités, il arrive que chaque individu représente à lui seul, ou presque, une tendance. Il est caractéristique qu'une pétition n'acquière de valeur (du point de vue des intéressés, s'entend) que si elle est signée d'un nombre minimum de personnalités, mais qu'elle en perd à partir du moment où le champ des signatures est trop largement ouvert : le nombre vivifie, mais l'excédent tue. Il est en effet nécessaire que la qualité des protestataires garantisse le bien-fondé de la cause soutenue, cette qualité s'obtenant d'abord par une certaine homogénéité des signataires. Tout se passe donc comme s'il y avait un cercle d'habitués, sur qui peut compter tout rédacteur de pétitions ; il est bon, toutefois, que puisse s'y adjoindre, de temps à autre, quelque néophyte : qu'il consente à sortir de sa réserve laisse beaucoup à penser.

Il serait intéressant de rechercher qui prend l'initiative. Il est vraisemblable que l'on découvrirait que l'impulsion est donnée par un groupe très restreint d'individus et que ces individus sont souvent d'un renom secondaire : leur objectif — ou leur mérite — est de faire endosser leur initiative et de faire accepter leur texte par des personnalités plus importantes. Sans vouloir entrer dans des détails — qui font d'ailleurs défaut —, rappelons que le Comité de vigilance des intellectuels antifascistes, qu'illustrèrent les noms de Rivet, Langevin et Alain, fut créé, en mars 1934, à l'instigation d'un jeune auditeur à la Cour des Comptes peu connu.

Quant à l'influence exercée à l'extérieur par les pétitions, les manifestes et les comités, on est réduit, pour la déterminer, à des impressions subjectives. Le but visé par de telles manifestations est double : alerter l'opinion et faire pression sur le pouvoir. Le deuxième objectif n'est généralement pas recherché directement : peu de pétitions sont en fait déposées auprès de ceux à qui elles s'adressent ; l'essentiel est qu'elles soient rendues publiques. Souci de ne pas se compromettre auprès de ceux qui détiennent le pouvoir, de ne pas avoir à composer avec eux, de conserver les mains pures pour garder le verbe haut ou volonté, empreinte d'un idéalisme démocratique, de faire imposer par l'opinion, par le peuple les décisions de pure justice ? Ne choisissons pas entre ces deux hypothèses : elles contiennent certainement l'une et l'autre une part de vérité. Ne pourrait-on pas dire aussi que ces procédés se situent dans la logique de la renommée considérée comme le levier de l'influence morale et politique au même titre que de l'influence littéraire ou artistique ? On retrouverait ici les règles de ce que certains sociologues appellent la « vedettisation ».

La critique de cette attitude a souvent été faite après Raymond Aron, parfois avant lui. Certains des intellectuels qu'il fustige s'étaient engagés, alors même que son essai n'était pas publié, dans une voie plus constructive. Une protestation contre la protestation s'était élevée au sein de l'équipe de la revue *Esprit* : « Avant de prétendre sauver l'honneur de l'esprit dans le monde, ne serait-il pas plus honnête — et aussi plus efficace — de reconnaître qu'en exploitant la mine morale comme un privilège français, nous trahissons la cause même de la justice que nous nous enorgueillissons de défendre (1). »

Le « malaise » des intellectuels français a attiré l'attention, plus ou moins bienveillante, des observateurs étrangers. La littérature américaine sur le sujet est particulièrement abondante. L'absence de *consensus* dans la société politique française, que traduit la situation de l'intellectuel, passionne les chercheurs, désole les amis de la France et fournit aux journalistes la matière d'articles à sensation. La façon dont les uns et les autres évoquent l'œuvre et l'action de Jean-Paul Sartre est particulièrement caractéristique : une étude de la légende de Jean-Paul Sartre ferait apparaître que la caricature dispense souvent de l'analyse, même dans les sciences sociales.

On pourrait soutenir, il est vrai, qu'en se présentant souvent comme les intellectuels-types, sinon comme les seuls intellectuels au monde, les intellec-

(1) Michel CROZIER, Les intellectuels et la stagnation française, *Esprit*, XXI (12), décembre 1953, p. 774.

tuels français provoquent eux-mêmes la curiosité et encouragent la caricature. Un numéro récent du supplément littéraire du *Times* (4 mai 1962) rappelait que beaucoup de nos compatriotes considèrent l'intelligence française sans égale, et s'en prenait, avec pertinence, au « mythe de la clarté », d'où proviendraient le mal et les pires confusions. Le temps n'est sans doute pas révolu, en effet, où l' « esprit cartésien », plus ou moins consciemment revendiqué, amenait beaucoup d'intellectuels français à donner, dans le secret de leur cabinet, voire sur la place publique, une réponse affirmative à la question posée par Sieburg en 1930 : « Dieu est-il français ? » (1).

Autre répercussion de l'exemple donné par les intellectuels français : l'influence qu'ils ont exercée auprès des étudiants originaires des anciens territoires d'outre-mer. La nouvelle élite de ces pays s'est nourrie de l'idéologie émancipatrice et de la tradition protestataire des intellectuels français. Au cours du Ier Congrès international des Ecrivains et Artistes noirs, qui s'est tenu à la Sorbonne du 19 au 22 septembre 1956, Jacques Rabemananjara, poète et militant malgache, pouvait dire :

« Le choix de la Sorbonne pour abriter ce congrès n'est pas dû au hasard. Ce n'est pas seulement un symbole ; c'est aussi un acte de foi. La cure de désintoxication commença pour beaucoup d'entre nous sur les bancs des facultés.

« Il y a quelque douze ans, sur les marches de ces

(1) Les variations sont innombrables, chez les auteurs les plus divers, sur le thème de la prééminence de l'esprit français et sur la vocation de la France à être la bibliothèque du monde ; on en trouvera quelques spécimens dans Louis Bodin et Jean-Michel Royer, Vocabulaire de la France, *Esprit*, nouvelle série (12), décembre 1957, numéro spécial consacré à « La France des Français », particulièrement p. 669 sqq.

amphithéâtres, dans les couloirs de cette Université, nous étions un certain nombre d'étudiants de couleur... à deviser sur le thème de notre poids réel dans la balance de l'histoire, sur notre position d'hommes noirs dans le monde, sur notre volonté de participer à l'élaboration d'un humanisme nouveau, élargi, né de la conjonction de nos propres cultures et de celles de l'Occident. »

Aussi cruel que cela puisse paraître, les intellectuels français ont vu leur vocation de moralistes et d'objecteurs s'accomplir principalement en dehors des frontières nationales et par personnes interposées. Le paradoxe et le scandale ne sont qu'apparents : l'intellectuel a ainsi retrouvé — pour un temps assez court, il est vrai — l'universalité qu'il se désespérait d'avoir perdue ; on peut, en outre, admettre que, sur le plan politique, l'émancipation des ex-colonies bénéficie à l'ancienne métropole. La difficulté est de poursuivre, pour des tâches constructives, la collaboration avec ceux qu'on a jadis incités à la critique.

Le problème du dépassement de la critique est en fait le problème fondamental de l'intellectuel. Certains ont pris leur parti d'une impossibilité qu'ils considèrent comme inéluctable : « L'intellectuel se définit par une négation qui ne retourne jamais au positif, écrit André Gorz. Il dit non au monde de l'aliénation et des nécessités inhumaines. Mais, ce faisant, il n'empêche pas ce monde d'être et ne forge pas les instruments de sa transformation (1). » D'autres s'essaient, périodiquement, à jeter les bases d'un « parti intellectuel » qui maintienne l'originalité de ses membres et leur assure une

(1) André GORZ, Situation de l'intellectuel, *Les Lettres nouvelles*, 27 mai 1959, p. 46. Du même auteur, *Le traître*, Paris, Editions du Seuil, 1958, 317 p. Avant-propos de Jean-Paul SARTRE.

influence à la mesure de leur ambition (1). D'autres enfin estiment avoir trouvé un mode de participation constructive, conforme à l'idée qu'ils se font d'eux-mêmes et du monde.

**3. Révolutionnaires et politiciens.** — La révolution est le débouché le plus logique de la contestation ; c'est aussi le plus exceptionnel. L'intellectuel révolutionnaire, c'est-à-dire celui qui ne se contente pas de catalyser les mécontentements et les revendications, mais prévoit et met en œuvre les moyens d'une transformation radicale, est une espèce rare. On connaît l'appréciation que Marx portait sur les philosophies du passé et le but qu'il assignait à celle du présent : « Les philosophes n'ont fait qu'interpréter le monde de différentes manières ; il s'agit de le transformer. » Peu de philosophes sont allés jusqu'au bout de cette nouvelle tâche. Il y a eu beaucoup d'intellectuels dans les milieux socialistes de la fin du XIX^e^ et du début du XX^e^ siècle ; beaucoup de discussions aussi, mais peu d'action révolutionnaire. Pour un Lénine qui sort de l'*intelligentsia* russe, animé par une volonté précise, préalable à toute autre, la prise du pouvoir, combien de glossateurs, de révisionnistes enfermés dans la négation du monde ancien et l'interprétation des doctrines nouvelles.

Malgré sa bonne volonté, l'intellectuel se plie mal aux exigences de la foule, aux servitudes et aux rites qu'impose le combat révolutionnaire. La répugnance de Jean Guéhenno à lever le poing est légendaire : « Je m'accuse de lever et fermer le poing sans plaisir, sans enthousiasme, écrit-il dans

(1) Dernière tentative en date, celle de Maurice NADEAU dans Vers un parti intellectuel ? *Les Lettres nouvelles*, nouvelle série, février 1961.

*Journal d'une « révolution »*... C'est un signe de bataille plus que de fraternité. Je sens tout de suite de la pesanteur dans l'avant-bras et de la mollesse au poignet. » Cette répugnance est significative. Nombre d'intellectuels ont fait un bout de chemin avec le parti de la révolution, qui en sont revenus dépités, aigris d'un engagement qui leur est apparu comme une insupportable aliénation.

Est-ce à dire que les intellectuels se destinent plus volontiers à la vie politique traditionnelle, au sens où on l'entend dans les démocraties occidentales ? Certains auteurs pensent qu'il n'en est rien. Il y aurait une sorte d'incompatibilité entre la vocation de l'intellectuel, son souci de la vérité et le métier politique. Tout en habiletés, sinon en reniements, le jeu politique désarmerait l'intellectuel qui s'y hasarde ; la réussite le rejetterait en dehors de sa communauté d'origine : « Tous les hommes de génie auxquels on donnera des places dans les gouvernements, écrivait déjà Saint-Simon dans ses *Lettres d'un habitant de Genève*, perdront en réalité comme en considération ; car, pour remplir les devoirs de leur place, ils négligeront des travaux plus importants pour l'humanité ; ou, s'ils ne peuvent résister à l'impulsion du génie, ils négligeront souvent les devoirs de leur place. »

Ces vues pessimistes reposent sur une longue tradition de malentendus, d'échecs plus ou moins spectaculaires, de la déconvenue de Platon à Syracuse aux rebuffades subies par le candidat malheureux à la présidence des Etats-Unis, Adlai Stevenson, en passant, pêle-mêle, par l'intransigeance funeste de Savonarole à Florence, les beaux discours de Lamartine ou les maladresses de Painlevé. Elles sont toutefois un peu sommaires. Nombre d'observations les infirment partiellement, de nos jours du moins. S'il est vrai que les intellectuels faisant partie de la « classe politique » sont peu nombreux, c'est d'abord que les effectifs de celle-ci sont faibles et surtout que la représentation démocratique vise à répartir les charges et les honneurs entre tous les groupes sociaux. En outre, on constate que les hommes politiques d'origine intellectuelle ne sont pas aussi rares qu'on veut bien le dire. Un rapide coup d'œil sur la composition sociale du personnel politique dans les pays occidentaux nous en convaincra aisément.

En France, sous la IIIe République, l'Ecole Normale Supérieure a été non seulement un lieu de fermentation idéologique — au moment de l'affaire Dreyfus notamment — mais également une dépinière d'hommes politiques de premier plan : Jean Jaurès, Léon Blum, Edouard Herriot, Yvon Delbos... (1). Si, après la Libération, elle a quelque peu cessé de jouer ce rôle, d'autres établissements analogues (l'Ecole Polytechnique, par exemple) ou les grands corps de l'Etat n'ont cessé de peupler les assemblées ou les ministères. En juin 1951, 53 % des députés élus à l'Assemblée Nationale pouvaient être considérés comme des intellectuels : 31 instituteurs, 53 professeurs, 27 journalistes, 34 médecins et pharmaciens, 84 juristes, 27 hauts fonctionnaires et 32 ingénieurs. L'Assemblée Nationale élue le 2 janvier 1956 comptait 45 % de ses membres venant des « professions intellectuelles » : 35 instituteurs, 46 professeurs, 25 journalistes, 27 médecins et pharmaciens, 69 juristes, 21 hauts fonctionnaires, 24 ingénieurs et architectes. L'avènement de la Ve République a accru la proportion des intellec-

(1) André Tardieu, reçu premier au concours d'entrée, renonça à franchir le seuil de la rue d'Ulm.

tuels dans le personnel politique. A l'Assemblée Nationale élue en novembre 1958, les intellectuels atteignent 57 % de l'effectif total : 10 instituteurs, 36 professeurs, 23 journalistes, 56 médecins et pharmaciens, 74 juristes, 37 hauts fonctionnaires, 28 ingénieurs et architectes ; cette nouvelle répartition traduit la perte de sièges des communistes et des socialistes, qui entraîne la diminution, par rapport à 1956 et à 1951, du nombre des instituteurs et des professeurs, et la prédominance de l'Union pour la Nouvelle République et des modérés, qui assure une large représentation aux médecins, avocats et hauts fonctionnaires. Ces derniers sont également favorisés par leur implantation dans un grand nombre de ministères : au Conseil des Ministres, ils se retrouvent aux côtés d'agrégés de l'Université et de l'écrivain André Malraux (1).

En Italie, plus des deux tiers des 1 358 députés élus entre 1946 et 1958 ont des titres ou des diplômes universitaires, soit 60 % pour les humanités classiques (surtout le droit) et 10 % seulement pour les disciplines scientifiques ou techniques (médecins, ingénieurs, etc.). La proportion des diplômés est plus forte chez les démocrates-chrétiens et à leur droite que dans les rangs des partis de gauche (qui ont toutefois tendance à s'« intellectualiser » également). Sur le plan professionnel, la répartition est la suivante : 27,2 % d'avocats, 16 % d'enseignants, 4 % de journalistes, etc.

(1) Sur le personnel parlementaire, on consultera : pour la France, les études de Mattei Dogan, dans *Partis politiques et classes sociales en France*, Paris, A. Colin, 1955, pp. 298, 305-318, dans *Les élections du 2 janvier 1956*, Paris, A. Colin, 1957, pp. 455-461, et dans *Le référendum de septembre et les élections de novembre 1958*, Paris, A. Colin, 1960, pp. 265-271 ; pour l'Italie, la Grande-Bretagne et les Etats-Unis, les articles correspondants publiés dans La profession parlementaire, *Revue internationale des sciences sociales*, XIII (4), 1961, pp. 577-715.

En Grande-Bretagne, les intellectuels ont une situation tout aussi privilégiée : 68 % des députés conservateurs « sans portefeuille », pendant la période 1955-1959, avaient reçu une formation universitaire, 75 personnes ayant fréquenté Oxford et 60 Cambridge ; la proportion est un peu inférieure en ce qui concerne les députés travaillistes : 93 personnes sur 236 (c'est-à-dire compte non tenu des membres du *shadow cabinet*) avaient fait des études supérieures, 35 d'entre elles étant passées par Oxford ou Cambridge.

C'est aux Etats-Unis que la part, dans la représentation politique, des personnes bénéficiant d'un haut degré d'instruction est la plus considérable : 85 % des membres du Sénat ont un passé universitaire (alors que 14 % de l'ensemble de la population adulte a atteint ce niveau) ; bien plus, 53 % des sénateurs ont préparé des diplômes supérieurs à la licence, le doctorat en droit pour la plupart (alors que les professions juridiques représentent 0,1 % de la population active des Etats-Unis, elles fournissent la moitié environ de l'effectif du Sénat). Si les Universités d'Harvard, Yale, Princeton ont formé un nombre appréciable de sénateurs républicains, les démocrates sont toutefois, dans l'ensemble, plus instruits que les républicains : ils ont 91 % de leurs représentants de formation universitaire, contre 77 % pour les républicains.

Il serait souhaitable que cette appréciation numérique puisse être complétée par une étude qualitative du rôle et de l'efficacité des intellectuels parlementaires ; malheureusement les éléments de cette étude n'existent pas. Dans quelle mesure les intellectuels se détachent-ils de leur profession, une fois élus aux assemblées politiques, pour se faire ou non les représentants de la nation entière ? Le niveau élevé de leur formation les rend-il plus aptes à aborder les problèmes et à leur apporter une solution, ou, au contraire, les éloigne-t-il des réalités et les pousse-t-il au verbalisme et à l'irresponsabilité ? L' « intellectualisation » croissante du personnel politique favorise-t-elle la « montée des technocrates » ou ne constitue-t-elle pas un rempart contre ce mouvement ? Autant de questions qu'il faut bien laisser sans réponses précises. Celles-ci devraient sans doute tenir compte des circonstances de fonctionnement des régimes politiques eux-mêmes, de l'intégration sociale des professions ou des personnes intéressées dans les différents pays, de leur valeur culturelle, autant que des caractéristiques universelles et abstraites attribuées aux intellectuels.

Il faudrait, en outre, envisager les autres formes de la contribution des intellectuels aux décisions politiques. La technocratie avouée et strictement définie est rare, et les essayistes ou les pamphlétaires qui présentent l' « ère des technocrates » comme un épouvantail cèdent plus souvent à la pente d'une démagogie facile qu'ils ne se prononcent au terme d'une analyse sérieuse. Quoi qu'il en soit, on peut se demander si une catégorie montante d'intellectuels, les savants, les physiciens tout particulièrement, ayant à exécuter des programmes de plus en plus onéreux ou de plus en plus dangereux ne sont pas amenés en conscience, ou ne sont pas poussés tout naturellement (surtout s'ils sont consultés à titre d'experts) à s'immiscer dans l'élaboration et la prise des décisions politiques. Il y a là pour l'analyste un champ nouveau, peu exploré et en évolution rapide. Le problème existe certainement aux Etats-Unis et vraisemblablement en Union soviétique. Le « cas Oppenheimer » est exemplaire ; on peut penser qu'il n'est pas isolé et on peut douter que toutes les interventions politiques des savants aillent dans le sens de la contestation et du refus. Nombreux sont ceux qui veulent être plus que les exécutants d'une politique et qui cherchent à y participer activement et de manière positive.

S'il faut en croire Max Weber, le savant ne peut pas prétendre tirer de son savoir des règles politiques : « On ne peut jamais exiger de lui que la probité intellectuelle, ce qui veut dire l'obligation de reconnaître que d'une part l'établissement des faits, la détermination des réalités mathématiques et logiques ou la constatation des structures intrinsèques des valeurs culturelles, et d'autre part une réponse aux questions concernant la valeur de la culture et de ses contenus particuliers ou encore celles concernant la manière dont il faudrait agir dans la cité et au sein des groupements politiques, constituent deux sortes de problèmes totalement hétérogènes. » Plus loin, Max Weber précise que, si le savant réunit les qualités pouvant faire de lui un *leader* politique, « cela relève du pur hasard » (1).

Ce n'est pas le lieu de discuter ces opinions qui reposent sur une conception élevée de la vocation du savant et sur une vue réaliste et rude de la politique. On remarquera toutefois que la science, au temps où elles ont été émises, ne débouchait pas de manière aussi directe et aussi massive que maintenant sur des réalisations pratiques ambivalentes : ce peut être au nom de la « probité intellectuelle » que le savant s'interroge — et fait

(1) Max Weber, *Le savant et le politique*, Paris, Plon, 1959, pp. 90 et 97. L'auteur pense que les avocats et les journalistes sont les mieux placés des intellectuels pour exercer le métier politique tel qu'il l'analyse dans le second essai qui compose cet ouvrage.

part de son interrogation, sinon de la réponse qu'il y apporte — non seulement sur les justifications profondes mais aussi sur les conséquences de son travail scientifique (1).

*
* *

Qu'ils adoptent une attitude de fonctionnaire, d'objecteur ou de politique, quelle est en définitive l'influence réelle des intellectuels dans la vie publique ? Nous n'avons évidemment aucun moyen de la mesurer. Il serait bien téméraire de conclure d'une inefficacité apparente à une inefficacité réelle. Raymond Aron, qui réunit les qualités du professeur, du savant, du journaliste et du pamphlétaire, a raison d'apporter sur ce point une conclusion mesurée : « Les intellectuels souffrent de leur impuissance à modifier le cours des événements, mais ils méconnaissent leur influence. A terme, les hommes politiques sont les disciples des professeurs ou des écrivains. Le doctrinaire du libéralisme a tort d'expliquer les progrès du socialisme par la diffusion d'idées fausses. Il n'en reste pas moins que les théories, enseignées dans les Universités, deviennent, quelques années plus tard, des évidences acceptées par les administrateurs ou les ministres. Les inspecteurs des finances sont keynésiens en 1955, ils se refusaient à l'être en 1935. Les idéologies des lettrés, en un pays comme la France, forment, elles aussi, la manière de penser des gouvernants (2). »

(1) On trouvera une présentation de ces problèmes dans l'ouvrage de Jean Meynaud et Brigitte Schröder, *Les savants dans la vie internationale*, Lausanne, chez l'auteur, 1962, 222 p.
(2) Raymond Aron, *L'opium des intellectuels*, pp. 258-259.

## Chapitre III

# INTELLECTUELS ET PROFESSIONS

Max Weber a pu parler du « travail intellectuel comme profession ». En effet, si la culture et la société sont, en quelque sorte, les milieux naturels de l'intellectuel, il ne s'y intègre de nos jours que par la profession. La profession joue un rôle de médiation d'autant plus grand que la culture est plus neuve et la société à forte dominance économique. Aux Indes, où la tradition religieuse constitue la base d'une culture vénérable, la hiérarchie sociale s'établit en fonction de critères non essentiellement économiques : la vie intellectuelle y a longtemps été considérée comme le ministère d'un nombre restreint d'individus. Aux Etats-Unis, au contraire, pays d'histoire culturelle récente et de développement économique rapide et continu, l'intellectuel se définit comme tout autre professionnel, c'est-à-dire en fonction de son travail, de sa productivité. Les statistiques, qui donnent le détail de la population économiquement active, en font mention depuis plusieurs décennies.

Bien qu'il soit malaisé de circonscrire avec précision — et de manière homogène d'un pays à l'autre — les « activités intellectuelles », les catégories professionnelles peuvent être utilisées pour donner des ordres de grandeur et déterminer l'état

T

**Évolution des principales catégories d**

| 1900 = 100 | 1900 |
|---|---|
| Avocats et juges | 108 000 |
| Comptabilité | 23 000 |
| Médecins et assimilés | 131 000 |
| Dentistes | 30 000 |
| Personnel médical auxiliaire | 58 000 |
| Vétérinaires | 8 000 |
| Enseignants | 443 000 |
| Journalistes | 32 000 |
| Auteurs, artistes, musiciens, architectes | 130 000 |
| Ingénieurs | 75 000 |
| Professions techniques et scientifiques (2) | 12 000 |
| Étudiants | 238 000 |

d'une société. Dans les sociétés non industrialisées, les professions intellectuelles (lorsqu'elles peuvent être perçues) sont peu diversifiées, et l'effectif de leurs membres limité par rapport au reste de la population. Dans les sociétés industrialisées, en revanche, la spécialisation affecte aussi le travail intellectuel et la proportion de ceux qui s'y adonnent est de plus en plus élevée.

(1) Nous avons dû renoncer à déterminer une catégorie « Administrations », la complexité des statistiques sur ce point étant difficilement extricable.

(2) Malheureusement, sous cette rubrique, les savants se trouvent irrémédiablement mêlés à des techniciens divers sans prestige intellectuel.

III

**tuels aux États-Unis de 1900 à 1950 (1)**

| 1930 | Indice d'augmentation | 1950 | Indice d'augmentation |
|---|---|---|---|
| 161 000 | 149 | 184 000 | 170 |
| 192 000 | 834 | 390 000 | 1 695 |
| 189 000 | 144 | 238 000 | 181 |
| 71 000 | 236 | 76 000 | 253 |
| 386 000 | 662 | 596 000 | 1 027 |
| 12 000 | 150 | 14 000 | 175 |
| 1 106 000 | 249 | 1 276 000 | 288 |
| 61 000 | 190 | 93 000 | 290 |
| 257 000 | 197 | 291 000 | 223 |
| 435 000 | 580 | 1 087 000 | 1 449 |
| 93 000 | 775 | 488 000 | 4 066 |
| 1 101 000 | 462 | 2 659 000 | 1 117 |

## I. — La répartition des professions

Nous avons déjà analysé la répartition des professions en Union soviétique et nous avons vu comment elle s'établit de plus en plus en fonction du développement économique. Aux Etats-Unis, la tendance est plus ancienne, et elle est affectée de variantes appréciables. Si nous avons dû renoncer à reconstituer, pour les Etats-Unis, un tableau analogue à celui de l'*intelligentsia* soviétique (par suite de la trop grande dispersion des statistiques américaines et par suite de l'ignorance où nous sommes des critères adoptés pour l'établissement des catégories

**Indices d'augmentation (ordre décroissant) des catégories d'intellectuels aux États-Unis**

| | 1930 | 1950 |
|---|---|---|
| | En dessus de 500 | En dessus de 1 000 |
| | 1. Comptabilité. | 1. Professions scientifiques et techniques. |
| | 2. Professions techniques et scientifiques. | 2. Comptabilité. |
| | 3. Personnel médical auxiliaire. | 3. Ingénieurs. |
| | 4. Ingénieurs. | 4. Étudiants. |
| | | 5. Personnel médical auxiliaire. |
| | Au-dessous de 500 | Au-dessous de 1 000 |
| | 5. Étudiants. | 6. Journalistes. |
| | 6. Enseignants. | 7. Enseignants. |
| | 7. Dentistes. | 8. Dentistes. |
| | 8. Auteurs et artistes. | 9. Auteurs et artistes. |
| | 9. Journalistes. | 10. Médecins. |
| | 10. Vétérinaires. | 11. Vétérinaires. |
| | 11. Professions juridiques. | 12. Professions juridiques. |
| | 12. Médecins. | |

statistiques dans l'un et l'autre pays), quelques chiffres, tirés du volume *Historical statistics* (1957), peuvent fournir des points de repères pour d'éventuelles comparaisons (tableau III). On notera tout d'abord que les professions scientifiques et techniques, pour importants que soient leurs effectifs, n'écrasent pas les catégories plus classiques d'intellectuels : en particulier, les juristes se sont toujours maintenus dans des proportions appréciables. De même, le nombre des médecins, de tout temps assez élevé, n'évolue guère qu'en fonction de l'augmentation de la population (il y avait 134 médecins pour 100 000 habitants en 1921 et 133 pour 100 000 habitants en 1959).

Le classement des indices d'augmentation révèle, de 1900 à 1930, une grande homogénéité dans la progression des milieux intellectuels américains : les professions techniques ou de gestion financière évoluent à un rythme sensiblement plus rapide que les autres mais ne les dominent pas en chiffres absolus ; de 1930 à 1950, ce sont les mêmes professions qui se développent le plus rapidement et elles supplantent même les autres, cependant que l'effectif des étudiants est en croissance accélérée.

Ces chiffres et ces classements ne font pas apparaître le degré de « féminisation » de l'*intelligentsia* américaine : on ne le connaît pas exactement, mais, à divers indices, nous sommes enclin à penser qu'il reste faible, sans aucune proportion avec celui atteint en Union soviétique. La répartition des titres conférés au cours de l'année universitaire 1959 illustre assez bien les résistances de la société américaine sur ce point. 9 360 élèves atteignent le niveau du doctorat : parmi eux, 8 371 hommes, 989 femmes seulement ; près de la moitié d'entre elles se destinent à l'enseignement, une grande partie des autres

TABLEAU IV

**Savants, ingénieurs et assimilés en France d'après le recensement de 1954**

| | Ensemble | Hommes | Femmes |
|---|---|---|---|
| Hommes de science, chercheurs scientifiques (1) | 4 300 | 3 180 | 1 120 |
| Ingénieurs de l'État | 6 300 | 6 280 | 20 |
| — des mines, des minières | 2 540 | 2 540 | |
| — mécaniciens | 19 520 | 19 440 | 80 |
| Chefs de dépôts (S.N.C.F.) | 880 | 880 | |
| Ingénieurs électriciens | 10 820 | 10 780 | 40 |
| — radio | 3 140 | 3 100 | 40 |
| — chimistes et assimilés | 12 340 | 11 300 | 1 040 |
| — du bâtiment et des travaux publics | 12 340 | 12 300 | 40 |
| Chefs de district (S.N.C.F.) | 1 900 | 1 900 | |
| Ingénieurs des textiles | 2 640 | 2 620 | 20 |
| — agricoles et agronomes | 2 480 | 2 460 | 20 |
| Météorologistes | 760 | 760 | |
| Ingénieurs géographes et assimilés | 800 | 800 | |
| Organisateurs conseils | 1 160 | 1 160 | |
| Ingénieurs conseils | 2 800 | 2 740 | 60 |
| — commerciaux | 2 400 | 2 400 | |
| — autres | 6 360 | 5 780 | 580 |
| Directeurs techniques | 5 860 | 5 780 | 80 |
| Ingénieurs divers | 19 400 | 19 280 | 120 |
| — (S.N.C.F.) | 760 | 760 | |
| TOTAL | 119 500 | 116 240 | 3 260 |

à la recherche scientifique, dans les sciences biologiques et les sciences humaines notamment. Des secteurs-clés de l'économie, comme la technique, le commerce, les sciences physiques, etc., restent, assez largement, le domaine des hommes.

La société intellectuelle américaine est donc plus équilibrée (en un sens traditionnel), moins perturbée par le développement économique et scientifique que la société intellectuelle soviétique : cela est dû, nous l'avons souligné, autant au libéralisme et à la diversité de la société américaine dans son ensemble qu'à une industrialisation plus ancienne.

Des indications analogues pourraient être données concernant la répartition et l'évolution des professions intellectuelles en Grande-Bretagne, en Allemagne occidentale et en France. Le mouvement vers la prédominance des professions scientifiques et techniques y est d'ailleurs plus lent, la France étant sans doute la plus réfractaire, ainsi que le révèle l'examen attentif d'une situation récente. La part des savants, ingénieurs et assimilés (c'est dire que le groupe est largement entendu) dans le tableau des professions intellectuelles, tel qu'il ressort du recensement de 1954, est faible : les professions scientifiques et techniques y sont dans le rapport de 4 à 1 vis-à-vis des professions juridiques, alors que ce rapport, autant qu'on en puisse juger, est de 10 à 1 pour les Etats-Unis et de 50 à 1 (?) pour l'Union soviétique. La décomposition du groupe ne fait d'ailleurs qu'accroître le sentiment d'infériorité : le fonctionnement et l'entretien de l'infrastructure existante semblent bien accaparer le plus gros des énergies, la recherche et la novation n'étant le fait que d'un nombre limité d'individus. Nous retranscrivons sans retouches, dans le tableau IV, les résultats obtenus par l'I.N.S.E.E.

La dispersion des rubriques introduit sans doute une impression de grande confusion, elle montre, en tout cas, les difficultés et la relativité d'une analyse statistique trop précise.

Toutefois, l'évolution de la répartition des étudiants entre les grandes disciplines indique que la France s'engage de plus en plus résolument sur les chemins de la technique. En 1949-1950, 56 % des étudiants se consacraient au droit et aux lettres, 26 % à la médecine et à la pharmacie, 18 % seulement aux disciplines scientifiques. En 1959-1960, les proportions s'étaient modifiées : le droit et les lettres conservaient toutefois 46 % des étudiants, les sciences accueillaient 34 % cependant que la part de la médecine et de la pharmacie n'était plus que de 20 %. Toutes les prévisions pour 1970 font état d'un renversement effectif et durable de la répartition de la population étudiante : les sciences l'emporteraient avec 44 %, le droit et les lettres ne viendraient plus qu'en seconde position avec 41 %, la médecine et la pharmacie tomberaient à 15 %. Les Pays-Bas, dont les structures de la population active sont très proches de celle de la France, connaissent une évolution de leurs effectifs universitaires presque identique : les sciences techniques se seront assuré les proportions les plus importantes en 1970 (45,5 % contre 38 % en 1960), les sciences humaines leur ayant cédé la première place (elles passeront à 38 % en 1970 contre 46 % en 1960), la médecine et la pharmacie restant stationnaires autour de 16 %. Si les pays de l'Ouest européen ne restent pas en marge du développement général des techniques, ils ne s'y adaptent que progressivement, sans opérer de reconversion brutale.

Que peut-on dire des pays insuffisamment développés sur le plan économique et industriel ? Rien de précis, car les statistiques y sont — quand elles existent — difficiles à interpréter. Il est peu probable que ces pays puissent échapper à la « technicisation » de la vie intellectuelle. Pour faire face aux besoins des populations et aux nécessités de l'économie moderne, ils sont déjà obligés, et ils le seront de plus en plus, de recourir à des procédés de formation rapide des cadres techniques. Il en résultera une dévalorisation du climat culturel et une dévaluation, au moins passagère, des professions intellectuelles par rapport à leurs homologues des pays développés. Les lettrés disparaissent ; il est à craindre qu'ils ne soient, dans l'immédiat, remplacés que par des techniciens de second ordre. Il faudra sans doute attendre plusieurs générations pour que cette situation se modifie, à moins que des méthodes draconiennes, comparables à celles que l'Union soviétique et la Chine ont mises en vigueur, n'instituent des systèmes d'éducation qui poussent à l'augmentation de la quantité tout en prenant soin de la qualité.

***

Partout, à l'Ouest comme à l'Est, dans les sociétés industrielles comme dans les pays en voie d'industrialisation, la répartition des professions intellectuelles en fonction de la prééminence de la philosophie et du droit (ou de la religion qui combinait les deux) cède la place à une nouvelle distribution, accordant la priorité à la découverte scientifique et aux réalisations techniques. Le savant, l'ingénieur l'emportent sur le philosophe, l'avocat. Cette transformation de la hiérarchie professionnelle traduit une mutation plus profonde : le faire se substitue au savoir, l'acte spécialisé à la parole globalisante, la confection d'objets à la compréhension du monde.

## II. — L'organisation des professions

Elle s'est faite parallèlement à leur croissance, à leur diversification et à leur « technicisation ». Au Moyen Age, sous l'effet de l'éclatement de la société cléricale et de la naissance de l'esprit laïque, des corporations de métiers s'étaient formées et développées. Elles avaient pour but de réglementer le recrutement et l'exercice de chaque métier et de défendre les droits et les libertés, les franchises, de la collectivité professionnelle vis-à-vis du pouvoir seigneurial et, par la suite, du pouvoir royal. Les professions intellectuelles n'ont pas échappé à cette évolution, bien qu'elles soient, plus longtemps que d'autres, restées tributaires de l'organisation ecclésiastique détenant un monopole à la fois en ce qui concernait l'instruction et la conception générale du monde. D'emblée, les marchands, dont les activités profanes étaient d'une certaine manière tenues en suspicion par l'Eglise, ont pu s'émanciper et s'organiser librement en dehors des cadres traditionnels ; la laïcisation des lettrés a été plus lente, plus progressive : la découverte de l'imprimerie y a beaucoup contribué — avec ses conséquences, l'apparition et la circulation du livre ainsi que l'extension extra-ecclésiastique de l'exercice de l'intelligence (dans les domaines de l'érudition, des arts ou de l'artisanat, par exemple). Laïcisation et « professionnalisation » sont allées de pair au cours des siècles. A notre époque, ce double mouvement est parvenu à son terme, sauf dans de rares sociétés où le lettré continue de s'apparenter au clerc.

**1. Le rôle de l'Etat.** — L'organisation des professions a souvent été codifiée par l'Etat, qui est intervenu de lui-même ou à la demande des intéressés. Cela est particulièrement net pour les professions dont l'exercice conditionne l'état sanitaire des populations ou le bon ordre de la société. Ainsi, le statut de la médecine en France a été défini par la loi du 19 ventôse an XI (10 mars 1803) ; l'organisation de l'ordre judiciaire porte une date très proche (10 avril 1810). Cette réglementation, qui établit les professions médicales ou judiciaires dans un cadre « moderne », n'est que l'aboutissement d'une longue histoire, jalonnée par diverses mesures sur lesquelles il n'est pas nécessaire de revenir ici. De nos jours, la tendance s'est généralisée : il reste peu de professions intellectuelles qui ne soient pas régies par des codes, des règles qui les définissent et les institutionnalisent. Au minimum, la possession d'un titre ou d'un diplôme universitaire d'Etat est la condition préalable à l'accession à la plupart d'entre elles. Si les journalistes, les écrivains semblent échapper à ces contraintes et être davantage reconnus en fonction du talent que d'une intégration professionnelle, ils sont cependant obligés de respecter, pour l'écoulement, l'exploitation de leur production, le cadre juridique de la presse et de l'édition.

Le temps est loin où Boileau pouvait, dans l'*Art poétique*, exprimer sa réprobation à l'encontre des auteurs soucieux de bénéfices matériels :

*Travaillez pour la gloire et qu'un sordide gain*
*Ne soit jamais l'objet d'un illustre écrivain.*

Très longtemps les écrivains ont vécu isolés, soumis au caprice des mécènes, des imprimeurs, des libraires. Désireux de protéger leurs œuvres, dont s'emparaient souvent des contrefacteurs éhontés, les écrivains sollicitent du roi l'octroi d'un « privilège » qui leur permette de confier à un libraire le soin exclusif d'imprimer un livre. Peu à peu, ils prennent l'habitude de vendre ce privilège au libraire : le droit d'auteur est en train de naître et, avec lui, la profession d'éditeur. Venue d'Angleterre, la réglementation ne s'impose en France qu'au XIXe siècle. Vers 1850, l'éditeur, qui prend en charge un manuscrit, se distingue de plus en plus nettement de l'imprimeur, qui assure la fabrication matérielle du livre, et du libraire, à qui est confiée la vente. Littré consacre cette distinction en définissant l'éditeur comme « celui qui publie les ouvrages d'un autre ». C'est avec l'éditeur que l'écrivain traite désormais en passant un contrat qui lui précise les conditions de rémunération. Si la tradition veut que les auteurs se sont toujours plaints de leurs éditeurs, de Balzac à Bernanos, on sait que Lamartine fit des bénéfices substantiels pour son *Histoire des Girondins* (250 000 francs, soit plus de cinquante millions en 1960) et que George Sand se voyait attribuer 5 000 francs (près d'un million et demi) pour chaque roman nouveau qu'elle remettait à son éditeur. La loi du 11 mars 1957, qui définit les divers aspects de la « propriété littéraire et artistique », consacre l'usage et rend le contrat d'édition obligatoire. Des sociétés d'auteurs, comme la Société des Gens de Lettres de France, veillent au respect des usages et des règlements et se posent en intermédiaires entre l'auteur et son éditeur pour faciliter leur application (1).

(1) A ce sujet, voir par exemple : Marie-Thérèse GÉNIN, *L'éditeur*, Paris, Librairies techniques, 1960, 189 p. (collection des « Statuts professionnels »).

2. **Ordres et syndicats, associations et autres groupements.** — La codification officielle résulte, la plupart du temps, de l'organisation interne et de l'action revendicative des professions elles-mêmes. Cette règle n'est pas particulière aux professions intellectuelles ; elle s'y vérifie pleinement. Une preuve nous en est fournie par la profession médicale.

Très tôt, les médecins se sont organisés pour obtenir une réglementation de leurs activités et se défendre contre les survivants (religieux et charlatans) de pratiques curatives surannées. La plus illustre des organisations médicales est celle des médecins américains. Dès le début du XIX^e^ siècle, ceux-ci se regroupent dans le cadre des Etats ; un siècle plus tard l'organisation atteint le stade fédéral : l'*American Medical Association* réunit, à cette époque, la moitié des membres de la profession aux Etats-Unis. Depuis, son audience n'a cessé de s'étendre ; peu nombreux sont les praticiens qui persistent à s'en tenir à l'écart. La situation est identique en Grande-Bretagne : fondée en 1832, la *British Medical Association* compte 18 000 adhérents en 1900, sur un effectif global de 38 000 médecins ; depuis cette date, sa représentativité s'est accrue : 36 000 membres, en 1930, sur 55 000 médecins ; 69 000 membres, en 1955, sur 85 000 médecins, soit 81 % d'adhérents par rapport aux médecins enregistrés. En France, l'évolution a été plus lente et plus complexe ; les syndicats médicaux ne datent que de la fin du XIX^e^ siècle ; encore étaient-ils dispersés, bien que peu nombreux, et surtout peu fournis : en 1893, 2 000 médecins en faisaient partie. Créée en 1894, l'Union des Syndicats médicaux de France connut de multiples vicissitudes ; en 1928, nouvelle étape, avec la naissance de la Confédération des Syndicats médicaux français. Si l'unité syndicale n'est pas encore acquise, l'actuelle Confédération compte un peu plus de 30 000 adhérents sur un peu moins de 50 000 médecins exerçant ou ayant exercé la profession. Mais le fait important est, depuis 1945, le bicéphalisme de l'organisation médicale : l'Ordre des Médecins, institué sous le régime de Vichy, a survécu et coexiste avec la représentation syndicale. En principe, les objectifs de l'Ordre et ceux des syndicats sont distincts : au premier reviennent la discipline intérieure et la défense extérieure des intérêts moraux de la profession ; les seconds se préoccupent avant tout de la défense des intérêts socio-économiques de leurs adhérents. En fait, les interférences sont nombreuses et les liaisons personnelles évidentes.

L'histoire du corps médical montre comment les tentatives d'organisation des professions intellectuelles oscillent entre une conception syndicale et une conception organiciste. Sans nous attarder au cas des avocats, pour qui l'Ordre est omniprésent, sinon omnipotent, relevons celui des journalistes. Créé en 1918, le Syndicat national des Journalistes français parvient difficilement à s'imposer aux membres d'une profession quelque peu indisciplinée et bohème, trouvant ridicule d'avoir des « préoccupations de plombiers-zingueurs ». Après avoir cependant obtenu un statut (par la loi du 29 mars 1935), des membres de la profession désirent une organisation plus poussée, qui, aux yeux de certains, devait prendre la forme d'un « Ordre ». La plupart se rebiffent, craignant le corporatisme ou l'inquisition.

Il faut bien le dire, des réticences vis-à-vis d'une organisation trop strictement conçue ne sont pas émises par les seuls journalistes. Les manifestations d'indépendance restent vives et nombreuses dans diverses catégories d'intellectuels. Il serait intéressant de savoir dans quelle mesure le développement, depuis 1920, de la Confédération des Travailleurs intellectuels de France a contribué à réduire la dispersion et l'isolement des professions intellectuelles. Théoriquement forte du grand nombre des organisations affiliées, la C.T.I. recouvre vraisemblablement une trop grande diversité d'activités et de préoccupations pour se doter d'une organisation vraiment efficace ; de plus, elle ne peut prétendre qu'à être un organisme de superposition : les individus échappent à son influence.

Il n'est point de syndicalistes plus fervents, plus attachés à leurs organisations que les enseignants français. Le taux d'adhésion, parmi eux, est certainement le plus élevé de tout le mouvement syndical. Les regroupements ne se sont pas opérés sans accrocs : la fermentation idéologique était plus vive dans le corps enseignant que partout ailleurs. Les fusions et les scissions se sont consommées au rythme des heurs et des malheurs du mouvement socialiste. Mais le syndicalisme enseignant lui-même se transforme : ses adhérents, ses dirigeants se montrent plus préoccupés de la survie, de l'avenir de la profession enseignante que de son idéologie. La différence est éclatante entre un congrès du Syndicat national des Instituteurs vers 1936 et un congrès de cette même organisation de nos jours. Les problèmes auxquels la profession doit faire face sont sans doute plus techniques que par le passé (effectifs des maîtres et des élèves, évolution des méthodes pédagogiques, etc.) ; les mentalités aussi ont changé : partout, on se montre plus soucieux d'efficacité que friand de discussions.

C'est sans doute encore le cas à l'Union nationale des Etudiants de France, bien que pendant quelque temps les discussions sur l'Algérie y aient pris une place importante. La raison d'être principale du syndicalisme étudiant réside dans une volonté, de la part de ses adhérents, de transformer certaines structures sociales : c'est ainsi que l'institution de la sécurité sociale étudiante en septembre 1948 et l'actuelle revendication concernant l'allocation d'études se proposent une amélioration de la vie matérielle des étudiants mais aussi et surtout l'obtention d'un « statut social » (d'une « dignité », disent certains), non plus réservé à la fortune, mais accessible au mérite. L'action menée, depuis une dizaine d'années, en liaison avec les syndicats d'enseignants, pour une augmentation du budget de l'Education nationale et pour une réforme de l'enseignement se situe dans une perspective analogue : la sauvegarde et l'extension du patrimoine culturel. Sans doute les termes de la « charte » adoptée par l'U.N.E.F. à son congrès de Grenoble en 1946 et définissant « les droits et devoirs de l'étudiant en tant que jeune travailleur intellectuel » sont-ils quelque peu emphatiques ; explicables dans le conteste de l'après-guerre, ils ont, de manière plus durable, le mérite de définir les principes d'une conscience et d'une action qui mettent fin à la légende de la « jeunesse dorée » sans précipiter les étudiants dans les arènes de la politique. L'approche politique ne semble elle-même concevable à la majorité des étudiants (de ceux du moins pour qui elle est concevable, et ils ne sont pas la majorité de l'ensemble) que dans une optique réaliste, efficace (par le biais du syndicalisme) ou à un niveau plus moral, plus spirituel (dans le cadre des organisations confessionnelles).

On ne peut, cependant, passer sous silence les

groupements d'intellectuels à but idéologique. Du côté laïque, des organisations comme la toute-puissante Ligue de l'Enseignement ou la Ligue des Droits de l'Homme continuent le combat engagé au temps de l' « obscurantisme ». Par excellence, regroupement d'intellectuels, la Ligue des Droits de l'Homme, créée au moment de l'affaire Dreyfus, a connu ses plus beaux jours dans les années 1930 (avec près de 200 000 adhérents et une section dans presque tous les cantons de France) ; durement atteinte de 1939 à 1945, elle ne s'est pratiquement pas remise sur pieds — malgré le renouvellement récent de sa présidence. Du côté catholique, le Centre catholique des Intellectuels français a pris de l'extension, tout en travaillant à une clarification des problèmes et à un assainissement des rapports entre catholiques et laïques. En outre, la variété des organisations spécialisées, d'action catholique ou non, de la Jeunesse étudiante chrétienne à l'Union sociale des Ingénieurs catholiques, témoigne de l'importance attachée par l'Eglise catholique aux professions intellectuelles.

Il y aurait beaucoup à ajouter à ce panorama des organisations et des mouvements. Des indications comparatives seraient de la plus grande utilité pour apprécier la situation des intellectuels français à cet égard. On pourrait, de manière générale, remarquer la faiblesse de l'organisation des professions intellectuelles dans le cadre des syndicats ou suivant les modèles mis en lumière par l'étude des groupes de pression. Pour être vive, la préoccupation des intérêts matériels ne parvient pas toujours à vaincre une répugnance plus ou moins instinctive des intellectuels vis-à-vis de l'argent. Affaire de tempérament individuel, mais aussi conscience d'accomplir des tâches difficilement monnayables et d'occuper une place à part dans la société. En revanche, l'importance des mouvements qui visent à codifier la mission sociale ou à exprimer la vocation morale des intellectuels serait à souligner. On pourrait presque dire que les intellectuels se regroupent d'autant plus volontiers que ce n'est pas leur sort qui en dépend, mais celui de la collectivité. On retrouve là ce que les pessimistes appellent la « prétention » des intellectuels et les optimistes leur « générosité ».

**3. Vers une « internationale » des intellectuels ? —** Cosmopolites aux origines, les intellectuels se sont, au cours des siècles, repliés à l'intérieur des frontières. Ce recueillement s'imposait à eux par suite de la diversité linguistique, souvent aussi parce qu'ils avaient contribué, de manière décisive, à l'établissement de leur nation. Le temps des échanges est revenu. L'idéologie révolutionnaire, la redécouverte des continents oubliés, les facilités offertes par les moyens de communication ont favorisé cette ouverture. Le sentiment que la guerre est mondiale et que le sort de tous les hommes est lié devant les menaces de destruction massive a fait le reste. Il est significatif que c'est après chacune des deux guerres mondiales que les tentatives les plus sérieuses ont été faites par les intellectuels pour dépasser les frontières territoriales. Sans doute ont-ils suivi, en cela, le mouvement général ; ils l'ont parfois précédé et presque toujours animé. Associations internationales de juristes, d'artistes, d'écrivains, etc., ont pullulé dans l'entre-deux-guerres ; congrès, colloques, biennales, etc., depuis quelque quinze ans, se multiplient aux quatre coins du monde. L'activité internationale des intellectuels se place sous le signe de l'inquiétude, de la curiosité ou de l'entraide.

Depuis 1946, l'U.N.E.S.C.O. est le symbole de cette vie culturelle internationale ; elle la canalise et l'organise souvent elle-même. « Les guerres prenant naissance dans l'esprit des hommes, c'est dans l'esprit des hommes que doivent être élevées les défenses de la paix » : telle est, selon le préambule de l'Acte constitutif, la justification de cet organisme. L'article premier du même texte précise : « L'organisation se propose de contribuer au maintien de la paix et de la sécurité en resserrant, par l'éducation, la science et la culture, la collaboration entre nations, afin d'assurer le respect universel de la justice, de la loi, des droits de l'homme et des libertés fondamentales pour tous, sans distinction de race, de sexe, de langue ou de religion, que la Charte des Nations Unies reconnaît à tous les peuples. » Cette déclaration sonne comme le *credo* d'une religion universelle, et l'on serait tenté de considérer le palais de la place de Fontenoy comme une nouvelle cité du Vatican. En fait, il est un carrefour où les hommes se rencontrent, où les informations s'échangent, où les besoins sont enregistrés et leur satisfaction favorisée. Nombre d'organisations d'intellectuels sont aidées par l'U.N. E.S.C.O. qui fournit des locaux à leur congrès et contribue au financement de leurs activités : ainsi, le Conseil international de la Philosophie et des Sciences humaines, la Fédération *Pen*, l'Union internationale des Architectes, la Fédération internationale des Associations de Bibliothécaires, etc., reçoivent une aide de l'U.N.E.S.C.O. Il est sans doute trop tôt pour apprécier le rôle joué par cet organisme dans la transformation des rapports culturels. Nul doute qu'il soit considérable. Grâce à cette organisation, le niveau d'instruction de vastes régions peut s'élever rapidement, des trésors culturels méconnus peuvent être revivifiés ; les échanges entre personnes conduiront vraisemblablement à une certaine rationalisation des professions intellectuelles, sinon à une uniformisation des modes de pensée et des modes de vie de leurs membres.

## III. — Niveaux et modes de vie

Ils varient beaucoup d'un pays à l'autre, à l'intérieur d'un pays, d'une profession à l'autre, et, à l'intérieur d'une même profession, entre les individus. Cette vérité première énoncée, nous sommes bien en peine pour aller au-delà. Aucune étude sérieuse n'a été faite sur le niveau de vie des intellectuels. La Confédération internationale des Travailleurs intellectuels avait lancé, en 1957, une enquête sur le « standing de vie des travailleurs intellectuels » (cf. questionnaire publié dans *Le monde intellectuel*, revue trimestrielle de la C.I.T.I., février 1957). Malheureusement, le principe d'une telle enquête est contestable, car la représentativité de ceux qui y répondent est incontrôlable, et la réponse à une des questions les plus importantes — celle concernant le montant des revenus professionnels en 1956 — était laissée à la discrétion des intéressés. Plus sûr serait sans doute l'examen des statistiques brutes, données dans les annuaires ou autres documents, pour quelques professions. Leur interprétation pose cependant des problèmes délicats, qui ne peuvent être résolus qu'en fonction d'une bonne connaissance de l'état économique et social du pays considéré ; de plus, elles fournissent des moyennes, ce qui réduit beaucoup leur intérêt. En France, les renseignements statistiques de cette nature sont rares ou difficilement accessibles : on sait avec quelle pudeur les Français tiennent secrets les chiffres de leurs revenus.

Des études ont toutefois été ébauchées, notamment en ce qui concerne les médecins. On y constate que, si « aux Etats-Unis le revenu des médecins est particulièrement élevé en comparaison avec les autres professions..., ce n'est pas le cas en France où les médecins partagent un moindre privilège avec d'autres groupes comparables » (1). En 1949-1951, aux Etats-Unis, les médecins disposaient d'un revenu moyen net de 12 500 dollars, les dentistes de 7 750 dollars, les cadres supérieurs de 5 630 dollars, les professions libérales et assimilées de 5 350 dollars, les manœuvres se situant au bas de l'échelle socio-économique avec un revenu moyen net de 2 200 dollars. En France, d'après des estimations du Service des Etudes économiques et financières du ministère des Finances, le revenu moyen net des praticiens était, en 1951, d'environ 2 600 000 francs, alors que, pour l'ensemble des professions libérales, il pouvait être évalué à 2 000 000 ; à la même époque, les cadres supérieurs percevaient 1 700 000 francs, les agriculteurs 750 000 francs, les ouvriers 580 000 francs, les ouvriers agricoles étant les plus défavorisés avec 290 000 francs. Pour une évaluation du revenu réel des médecins, par rapport à d'autres professions, intellectuelles ou non, il convient évidemment de tenir compte du montant élevé des frais inhérents à la durée des études ou aux nécessités de l'installation, sans omettre la fatigue croissante, découlant de l'augmentation de la consommation médicale de la population (cf. pour la France le résultat des

(1) Philippe Michaux, *Le revenu du groupe médical*, Paris, thèse de droit (dactylographiée), 1958, 166 p. Un condensé de cette thèse est paru dans la *Revue économique*, IX (1), janvier 1959, pp. 93-108.

enquêtes sur les dépenses médicales des ménages, menées par le Centre de Recherches et de Documentation sur la Consommation et publiées par la revue *Consommation*) et de la stagnation relative de la densité médicale. (Rappelons que, s'il y a 13 médecins pour 10 000 habitants aux Etats-Unis comme en Union soviétique, il n'y en a que 8,7 pour la France et la Grande-Bretagne, 1,7 pour l'Inde, 0,4 pour la Chine et 0,3 pour le Pakistan.) En outre, les disparités des revenus, à l'intérieur de la profession, peuvent atteindre des proportions considérables ; les causes de disparité ne sont pas toutes liées au statut juridique, ni même à la compétence ou à la renommée : elles tiennent aussi à la spécialité, à l'âge, à la localisation géographique... Des études nombreuses et diversifées amèneraient, sans aucun doute, à nuancer l'affirmation de La Bruyère : « Tant que les hommes pourront mourir et aimeront vivre, le médecin sera raillé et bien payé. » Les statistiques globales et les opinions courantes ne font pas apparaître la diversité des figures de médecins, ni celle des niveaux de vie. « Médecin de ville, médecin de banlieue, médecin de campagne, médecin des hôpitaux, médecin consultant, médecin spécialiste, médecin d'usine, médecin de dispensaire... : l'exercice concret de la profession éparpille le corps médical (1). »

Pour les professions intellectuelles du secteur public, il serait sans doute plus aisé de reconstituer la courbe des revenus. La considération des indices de traitement, les indications que pourraient fournir les services publics ou les organisations professionnelles, le relevé des propositions budgétaires, des

(1) Jacqueline Pincemin et Alain Laugier, Les médecins, *Revue française de science politique*, IX (4), décembre 1959, p. 885.

discussions parlementaires, des dispositions finalement adoptées, etc., donneraient des éléments d'appréciation. Un tel travail ne serait pas impossible pour les enseignants. A notre connaissance, il n'a pas été conduit de manière systématique et sur des séries statistiques suffisamment longues. On a pu, en ce qui concerne les instituteurs français, noter une amélioration des traitements par rapport à l'avant-guerre. « Vers 1938, l'instituteur débutant percevait un traitement équivalent à celui des sténo-dactylographes des administrations centrales. L'instituteur en fin de carrière touchait alors le tiers du traitement d'un agrégé ; actuellement, il atteint presque la moitié (1). » Cette amélioration est toute relative, car elle n'est valable que dans le cadre de la fonction publique ; or celle-ci s'est considérablement dévalorisée par rapport au secteur privé. De plus, une forte proportion de remplaçants ou d'instituteurs suppléants ne touchent que des salaires réduits, pour des conditions d'exercice précaires. Il faut bien reconnaître que, par rapport à d'autres professions de moindre responsabilité, la profession d'instituteur est en France dans un état d'infériorité économique, qui légitime les revendications et, conséquence redoutable à long terme, entrave le recrutement. De plus en plus, les parents déplorent que « le garçon soit par la dureté des temps contraint de se faire instituteur » (2).

Toutes ces indications fragmentaires, même si elles dépassent le niveau des simples impressions, n'autorisent pas à émettre plus que des hypothèses sur la « paupérisation » des intellectuels, la dévalua-

(1) André Bianconi, Les instituteurs, *Revue française de science politique*, IX (4), décembre 1959, p. 945.
(2) Georges Duveau, *Les instituteurs*, Paris, Editions du Seuil, 1957, 192 p.

tion de leurs professions. Il faudrait, pour conclure de manière rigoureuse, disposer d'études historiques qui reconstituent, sur d'assez longues périodes, les grandes lignes des budgets individuels et des revenus collectifs. L'historien est plus démuni encore que l'observateur contemporain (1). A défaut de statistiques, il devrait recourir aux documents les plus divers : journaux syndicaux, mémoires, romans (pour le siècle dernier l'œuvre de Balzac est une mine incomparable), dictionnaires, etc. A titre d'exemple, citons quelques détails pittoresques — relevés dans le *Dictionnaire de la vie pratique* (Hachette, 2 vol., édition de 1923) — qui indiquent bien ce qu'on peut attendre de telles recherches ; on peut lire :

— *sous la rubrique Avocats :*

« Sauf une chance tout à fait exceptionnelle, ce ne sont pas encore (de 30 à 35 ans) les grandes plaidoiries à gros honoraires, mais ce sera un courant d'affaires régulier et fructueux; cependant, sur 2 000 avocats et stagiaires inscrits au Barreau de Paris, 200 à 300 seulement, disent les statistiques, ont une situation décente due à leur profession ; les autres végètent ; il y a une chose que les statistiques oublient de dire, c'est qu'une moitié au moins des avocats inscrits au Barreau de Paris ne pratiquent pas. »

— *sous la rubrique Conseil d'Etat :*

« Excellente carrière pour les jeunes gens ayant de la fortune et désireux de se lancer dans les

(1) Dans certains cas, des études rigoureuses peuvent être menées comme le démontre Dante Zanetti, « A l'Université de Pavie au XV^e^ siècle : les salaires des professeurs », *Annales (Economies-Sociétés-Civilisations)*, XVII (3), mai-juin 1962, pp. 421-433.

hautes sphères de l'administration et de la politique. Exige des débuts extrêmement laborieux, beaucoup de tact, de persévérance et de volonté. Souplesse et don des gens absolument indispensables. »

— *sous la rubrique Magistrature :*

« Cette carrière peu rémunératrice ne convient en principe qu'à des personnes ayant une certaine fortune. Elle est pour ce motif une des moins encombrées...

« Au point de vue pratique, la carrière ne devient nettement intéressante que vers la quarantième année...

« La carrière judiciaire doit retenir l'attention des jeunes gens ayant quelque fortune, elle est peu encombrée, et donne à celui qui l'exerce une véritable influence morale. En général, pousser plutôt vers la magistrature debout les jeunes gens ambitieux, ayant de hautes relations et sachant sans effort s'adapter aux idées du moment ; diriger vers la magistrature assise ceux qui cherchent une situation honorable et tranquille. »

Ces indications, peu scientifiques, ont le mérite de montrer que la question des niveaux de vie ne peut être envisagée isolément, et que l'étude des modes de vie serait sans doute plus caractéristique encore. De tout temps, l'intellectuel s'est distingué des autres hommes par son mode de vie. Son goût des livres le singularise déjà et fait de lui une espèce à part dans la société économique. La nature de son travail l'isole également : la pensée, l'écriture exigent toujours le recueillement, parfois la solitude. Son particularisme vient aussi de sa vie quotidienne : sa façon de se vêtir, de se distraire, les cafés qu'il fréquente, les quartiers d'une ville où il travaille et habite. Le cas limite est celui de l'artiste traditionnel ou celui du savant qui vit parfois de nos jours à l'écart du monde : la construction de « cités de savants » en Union soviétique ou aux Etats-Unis est symbolique, bien qu'elle réponde principalement à la nécessité de réunir en un point donné du territoire, près des lieux d'expérimentation, le plus grand nombre possible d'énergies. Depuis longtemps, certaines Universités étrangères constituent de véritables « cités d'intellectuels », se suffisant à elle-mêmes. Dans beaucoup d'autres cas, il est vrai, l'intellectuel adopte un mode de vie bourgeois qui tend à le confondre dans la masse des « privilégiés » de la fortune : il gagne alors en honorabilité ce qu'il perd en singularité.

Difficile en elle-même — mais non impossible — l'étude des modes de vie pourrait être introduite par l'image que les non intellectuels se font des intellectuels. Si ceux-ci ont du prestige auprès des autres couches de la population, cela revient autant à leur originalité qu'à leur « aisance » relative ou imaginée. Les sondages d'opinion seraient pleins d'enseignements sur ce point. Les résultats de celui mené, en 1956, en Allemagne occidentale méritent d'être rapportés en détail. La question posée était la suivante : « Si vous aviez à choisir entre le directeur général d'une grande entreprise industrielle, un professeur d'Université, un général, un ministre, un prince et un évêque qui seraient tous à peu près du même âge et que vous ne connaîtriez pas personnellement, si vous aviez par exemple à donner à l'un d'eux la place d'honneur à une manifestation publique, auquel la donneriez-vous ? » Les réponses se répartirent ainsi :

| | Pourcentage global | Pourcentage chez les sympathisants | | |
|---|---|---|---|---|
| | | Parti démocrate chrétien | Parti social démocrate | Parti libéral |
| Professeur d'Université | 31 | 21 | 36 | 46 |
| Évêque ............ | 27 | 46 | 17 | 17 |
| Directeur d'entreprise. | 12 | 7 | 15 | 11 |
| Ministre ............ | 10 | 10 | 14 | 12 |
| Prince............... | 6 | 6 | 5 | 6 |
| Général............. | 5 | 5 | 4 | 2 |

Il serait intéressant de connaître en fonction de quels critères les personnes interrogées ont fait leur choix : quelle était la part des arrière-pensées politiques (la répartition des pourcentages entre les sympathisants des différents partis la laisse deviner), celle des traditions culturelles, celle des mobiles socio-économiques ? D'autre part, ces réponses étaient-elles désintéressées ou, au contraire, esquissaient-elles un processus d'identification ? Si l'on pouvait aller au-delà des réponses brutes et des pourcentages, nul doute que l'image ainsi reconstituée du gagnant de cette consultation, le professeur d'Université, stimulerait et orienterait la recherche objective.

Il en est de même de certaines manifestations d'anti-intellectualisme, qui, constatant des différences de mode de vie et de pratique sociale, les imputent à mal aux intellectuels. Les intellectuels sont souvent accusés de comportements anormaux : il serait instructif de retrouver ce qui motive cette incompréhension, ces critiques, voire cette jalousie à peine dissimulée. Les miroirs déformants révèlent parfois des aspects insoupçonnés de la réalité...

A défaut d'études suffisantes sur les modes de vie et leur évolution, certains auteurs émettent des hypothèses qu'il faudra beaucoup de temps pour vérifier. C'est ainsi que des sociologues américains, s'attachant aux conséquences de l'actuelle organisation du travail et des loisirs, imaginent, de manière quelque peu contradictoire, un renforcement relatif de l'originalité des classes supérieures et une uniformisation culturelle de la population grâce notamment à la mobilité sociale et aux *mass media.* « Au sommet, écrit Harold L. Wilensky, les élites des professions libérales, des milieux commerciaux, politiques, militaires et intellectuels, auront un mode de vie où le travail et les loisirs se mélangeront dans une large mesure. Ces élites continueront à être fortement « engagées » sur le plan professionnel. Leurs formes de participation et de consommation prendront un caractère de plus en plus cosmopolite. Enfin, l'intégration très poussée de leurs « rôles » renforcera, comme par le passé, leur conformisme, donnera une certaine cohérence à leur collaboration et les aidera à formuler leurs valeurs fondamentales (1). » Cette situation privilégiée peut toutefois être constamment remise en cause par suite de la démocratisation du recrutement des élites et du fait que les lignes de démarcation entre classes ont tendance à s'effacer dans les domaines d'activités non professionnelles. Si la plupart des professions non intellectuelles ne peuvent procurer des satisfactions culturelles,

(1) Harold L. Wilensky, Travail, carrières et intégration sociale, *Revue internationale des sciences sociales*, XII (4), 1960, pp. 604-605.

ceux qui les exercent seront de plus en plus poussés, sous l'effet de l'augmentation des temps de loisir et des possibilités offertes par les *mass media*, vers une recherche complémentaire. « Les individus « mobiles » et ambitieux, dont les aspirations et les exigences en matière de prestige n'ont aucune chance d'être satisfaites dans leur vie professionnelle, et qui, en conséquence, renonçant à lutter sur ce terrain, s'efforceront, s'ils conservent leurs ambitions, de trouver des compensations en organisant leurs loisirs de façon à améliorer leur condition sociale..., brigueront des fonctions dans des associations privées, des syndicats, des partis politiques... Ils deviendront des amateurs passionnés et des spectateurs actifs » (Harold L. Wilensky).

Il y aurait beaucoup à dire sur le détail de ces prévisions — en particulier sur l'utilisation inéluctablement positive des temps « libérés » et sur l'attribution aux seuls bénéficiaires de la « nouvelle culture » des activités syndicales et politiques. L'essentiel peut cependant être retenu : qu'elle soit le résultat d'une intégration consciente et réussie ou d'une quête plus ou moins ardente et désordonnée de substituts, la valorisation culturelle, entraînée par l'évolution combinée du travail et des loisirs, doit contribuer, selon une évaluation problématique, à atténuer les différences de modes de vie entre les intellectuels et les non intellectuels. Cette perspective, notons-le, est optimiste : elle suppose que les intellectuels sachent retrouver une unité culturelle par delà la dispersion du savoir, des techniques et des loisirs, et que les *mass media* s'orientent vers le meilleur et non vers le pire, développent la culture et ne se bornent pas à la vulgariser, c'est-à-dire à la dégrader. Toutes conditions qui, à l'heure actuelle, semblent bien être de l'ordre des vœux, plus que du domaine des réalisations.

***

La « professionnalisation » de l'intellectuel est quasi générale. L'évolution a été régulière, et la synchronie remarquable entre laïcisation et « professionnalisation ». Après s'être émancipé des cadres sociologiques et idéologiques imposés par la chrétienté, l'intellectuel s'était progressivement constitué une philosophie, et l'exercice d'une activité professionnelle l'intégrait dans un univers socioculturel, dont la cohérence n'était pas exclusive de l'indépendance et de la liberté. La « technicisation » et la spécialisation remettent, de nos jours, cette situation en cause. Il en résulte paradoxalement un éparpillement et une tendance à l'organisation autoritaire. Engagés dans des plans de recherches et de production, les techniciens dépendront de plus en plus de l'Etat ; celui-ci sera amené, lorsque cela n'est pas déjà consommé, à leur imposer règlements et discipline. L'exemple soviétique peut choquer des esprits épris de libéralisme. La « prise en charge » par l'Etat des professions intellectuelles ne devient-elle pas inéluctablement une « prise en mains », et les « religions séculières » ne sont-elles pas plus totalitaires que les autres, surtout lorsque le progrès est l'objet de leur culte ? Les exigences de l'économie technicienne étant les mêmes sous tous les régimes, on peut se demander si les risques de l'encadrement des intellectuels par l'Etat sont vraiment évitables.

---

Conclusion

## PROBLÈMES POSÉS

Il serait sans doute de mauvaise méthode de remettre en question le sujet au terme d'une analyse aussi sommaire. Et pourtant, quelque approche que nous ayons adoptée, l'ambiguïté subsiste : les intellectuels ne constituent pas une catégorie apodictique. L'histoire culturelle fait apparaître des modes d'expression, d'utilisation de la parole et de l'écriture — qui se succèdent et parfois se chevauchent ; des fonctions, des types se dessinent, non à proprement parler une catégorie. Les considérations sociologiques s'évanouissent dans l'impossible détermination de la place et du rôle d'individus qui semblent n'avoir en commun que leur diversité. La revue détaillée des professions accroît, par principe, la dispersion, cependant qu'elle amalgame sous des étiquettes statistiques, souvent artificielles, des hommes qu'opposent leur culture ou leur conscience sociale. On pourrait se reprocher d'avoir, après tant d'autres, contribué à la fantasmagorie.

Une façon d'échapper au remords aurait été d'inventer un mot et de lui donner valeur définitive, dans le sens de la restriction ou de l'extension. Ce procédé est courant. Le numéro de la revue *Arguments* qui traite du sujet en administre une preuve éclatante. Un auteur affirme : « On peut, on doit même déplorer que l'adjectif *intellectuel* se soit substantifié » (Pierre Fougeyrollas). Un autre bannit délibérément l'impur au profit d'un participe « substantifié » : « Intellectuels ? Le mot est de résonance complexe ; je préfère les appeler ici des *écrivants* » (Roland Barthes). D'autres font contre mauvaise fortune bon cœur ; ils utilisent le terme, mais ne découvrent son contenu que par opposition : sont intellectuels les sophistes par rapport à Platon, les encyclopédistes par rapport à Rousseau, les idéologues par rapport à Marx, les professeurs par rapport à Nietzsche, etc. La position est commode ; elle peut être stimulante pour découvrir les profondeurs philosophiques et morales d'une conception subjective. Elle n'en laisse pas moins le lecteur sur sa soif. Dire, comme le fait Edgar Morin, que « l'écrivain qui écrit un roman est écrivain, mais [que], s'il parle de la torture en Algérie, il est intellectuel », s'apparente au tour de passe-passe. Cela revient à dissocier l'individu, à valoriser son idéologie, ou même seulement une position de circonstance, au détriment de son être intime. Le problème de l'identification globale de l'intellectuel n'est pas posé et l'étude se trouve pratiquement sans objet.

Si l'on tait ces remords ou ces reproches et si l'on admet que les intellectuels peuvent être envisagés avec sang-froid, quels sont les grands problèmes posés par l'évolution contemporaine ?

Une première série de problèmes, sans doute la plus importante, vient de la désadaptation de l'intellectuel humaniste en face de la technique et de l' « inculture » spécialisée de l'intellectuel nouveau. Edgar Morin le dit lui-même fort bien, malgré une dichotomie linguistique injustifiée : « Les « intellec-

« tuels » n'ont plus accès au savoir dispersé dans les multiples spécialisations, et les techniciens n'ont plus accès à la conscience globale. » Est-il trop optimiste de prévoir qu'un « humanisme technique » réconciliera les uns et les autres dans un avenir proche ? Pour éviter toute fiction, il serait intéressant de connaître quelle est, dès à présent, la culture philosophique, la culture littéraire, la culture artistique de l'homme de science. Le témoignage des savants soviétiques instruirait beaucoup s'il pouvait être connu : dans quelle mesure se contentent-ils de l'idéologie et de l'art officiels ? Ne sont-ils pas obligés de recourir à d'autres nourritures ? Ou préfèrent-ils s'enivrer de leur science et oublier le reste ? Toutes ces questions, applicables aux savants américains et à ceux de tous les pays, sont d'autant plus graves qu'elles concernent un nombre sans cesse croissant d'individus dont la masse tend, dans les sociétés les plus évoluées, à écraser ce qui reste de philosophes et d'artistes.

D'autres problèmes sont d'ordre social et économique en même temps que culturel : l' « explosion scolaire », l'accroissement des effectifs universitaires n'entraîneront-ils pas, pour un temps plus ou moins long, un sous-emploi du capital intellectuel ainsi créé ? Autrement dit, le progrès économique est-il illimité ? Sans doute peut-on répondre que les besoins de la planète sont immenses, que les pays du « tiers monde » sont loin d'être pourvus. N'oublions pas toutefois que la circulation des biens est plus aisée que celle des hommes et qu'un néo-colonialisme technique pourrait avoir des conséquences redoutables. D'autre part, on peut se demander quelles réactions l'accession de la femme aux professions intellectuelles va provoquer dans un univers socio-culturel qui, jusque-là, était, à de rares exceptions près, l'apanage de l'homme ? Sur ce point, l'évolution est à peine amorcée, l'Union soviétique mise à part ; en France notamment, malgré les revendications du « deuxième sexe », nous n'avons guère dépassé le temps d'Héloïse ou de Christine de Pisan : les professions littéraires sont ouvertes aux femmes, les professions techniques leur restent fermées, de même que, dans une large mesure, la haute administration et la politique. Nul ne peut prévoir les transformations à venir ; n'est-il pas inquiétant que ce problème soit aussi négligé, le plus souvent pour des raisons morales ou psychologiques ?

Enfin, à l'intérieur d'une même société, le fossé n'ira-t-il pas s'élargissant entre ceux qui, de plus en plus nombreux, bénéficieront d'un haut degré d'instruction et ceux qui, pour des raisons sociales, des raisons de capacité ou de goût individuel, resteront à l'échelon inférieur. Les rapports entre les intellectuels et les autres ne sont déjà pas sans histoires dans les sociétés où ceux-là sont en faible proportion par rapport à ceux-ci : qu'en sera-t-il lorsque les effectifs se rapprocheront ? En fait, c'est une société nouvelle qui est à envisager. L'extension et la valorisation culturelle des *mass media* peuvent jouer un grand rôle. Si les *mass media* élèvent le niveau général, les risques de conflit seront atténués ; si, par malheur, ils devaient l'abaisser, les conséquences de l'évolution actuelle sont imprévisibles.

Si l'intellectuel semble devoir se porter sur un double front, c'est pour mener le même combat : la lutte contre la « barbarie » des élites nouvelles et contre celle des masses. Le combat est sans doute périlleux ; l'histoire montre que l'intellectuel a toujours surmonté les périodes difficiles, qu'il a toujours joué un rôle déterminant dans les mutations socio-culturelles qui se sont opérées. Cela suppose qu'on laisse s'éteindre les querelles de définitions et qu'on fasse appel à tous les intellectuels, qu'ils se dévoilent ou qu'ils s'ignorent. Il importe peu que le terme reste ambigu ; ce qu'il faut, c'est intéresser les hommes à l'enjeu devant lequel ils sont placés : peut-être certains apprendront-ils à se parer d'eux-mêmes d'un titre qui leur revient.

---

# BIBLIOGRAPHIE SOMMAIRE

Peu traité de manière satisfaisante, le sujet est cependant pourvu d'une abondante bibliographie. Certains titres ont déjà été mentionnés dans les notes en bas de pages ; nous ne les rappellerons qu'exceptionnellement ici où nous voudrions indiquer les études les plus générales.

En ce qui concerne les problèmes de définition et pour une rapide synthèse suivie d'indications bibliographiques, on se reportera à l'article Intellectuals, rédigé par Roberto MICHELS, de l'*Encyclopaedia of Social Sciences*, vol. VIII, 1932, pp. 118-126, ainsi qu'au volumineux recueil de *readings*, présenté par Georges B. de HUSZAR, *The intellectuals, a controversial portrait*, The Free Press of Glencoe, 1960, 543 p. (le choix des textes est généralement stimulant ; il n'est pas toujours heureux). Signalons également :

G. SARTORI, Intellettuali e Intelligentzia, *Studi politici*, II (1-2), mars-août 1953, pp. 29-53.

Pour la France, deux revues sont à consulter :

Les intellectuels dans la société française contemporaine, *Revue française de science politique*, IX (4), décembre 1959, pp. 833-1045. Nous avons repris dans notre étude certains textes que nous avions présentés, avec Jean TOUCHARD, dans ce numéro sous le titre : Définitions, statistiques et problèmes. Voir également : René RÉMOND, Les intellectuels et la politique, Jacqueline PINCEMIN et Alain LAUGIER, Les médecins, Bernard VOYENNE, Les journalistes, et les articles de Jean et Monica CHARLOT sur la Ligue des Droits de l'Homme, et de Janine BOURDIN sur l'Ecole nationale des Cadres d'Uriage.

Les intellectuels, *Arguments*, IV (20), 4e trimestre 1960, pp. 1-54.

Sur les intellectuels dans les pays européens, on se reportera à deux articles :

L. KRIEGER, The Intellectuals and European society, *Political science quarterly*, 67 (2), juin 1952, pp. 225-247.

T. Geiger, Der Intellektuelle in der europäischen Gesellschaft von heute, *Acta sociologica*, I (1), 1955, pp. 62-74.

Pour la Russie et l'Union soviétique, rappelons le très important numéro spécial de la revue *Daedalus*, 89 (3), été 1960, The Russian intelligentsia, pp. 435-670. Il convient d'ajouter :

H. Seton-Watson, The intellectuals and revolution : social forces in Eastern Europe since 1848, in *Essays presented to Sir Lewis Namier*, ed. by R. R. Pares and A. J. P. Taylor, Londres, Macmillan, 1956, pp. 394-430.

Les intellectuels américains ont fait l'objet de nombreuses études, autres que celle de S. M. Lipset déjà signalée ; notamment :

America and the intellectuals, *Partisan Review*, 1953, 118 p. (très importante enquête à un moment crucial pour les intellectuels américains).

M. Curti, Intellectuals and other people, *American historical journal*, 60 (2), janvier 1955, pp. 259-282.

Voir aussi sur des aspects importants du problème :

W. Kratz, *American labor and the intellectual*, New York, Vantage Press, 1956, 83 p.

H. L. Wilensky, *Intellectuals in labor unions : organizational pressures on professional roles*, The Free Press of Glencoe, 1956, XIII-336 p.

En ce qui concerne les intellectuels dans les pays en voie de développement, on trouvera des indications intéressantes dans la monographie de E. Shils, *The intellectual between tradition and modernity : the Indian situation*, La Haye, Mouton & C^ie^, 1961, 120 p.

Enfin, signalons d'autres études sur les rapports des intellectuels avec la politique, l'opinion publique, les *mass media* :

Intellectuals and political class, numéro spécial d'*Occidente*, 10 (1), janvier-février 1954, 96 p.

F. G. Wilson, Public opinion and the intellectuals, *American political science review*, 48 (2), juin 1954, pp. 321-339.

E. Larrabee, The mass media and the intellectual, *Confluence*, I (4), déc. 1952, pp. 37-44.

---

## TABLE DES MATIÈRES


Pages

INTRODUCTION. — **Tentatives de définition** ........... 5

I. Histoire d'un mot, 6. — II. Insuffisance des définitions courantes, 9. — III. Pour une étude dynamique, 15.

CHAPITRE PREMIER. — **Intellectuels et culture** ........ 23

I. Le rôle des Universités médiévales, 24. — II. L'apparition du livre; la Renaissance et la Réforme, 28. — III. Le XVII^e siècle et la littérature, 32. — IV. Les « lumières », 34. — V. Vers un nouvel « humanisme », 38.

CHAPITRE II. — **Intellectuels et société** ............. 45

I. Les intellectuels dans la société, 46. — 1. La nature du groupe, 46. — 2. L'importance du groupe, 50. — 3. L'intégration du groupe, 53. — II. Les intellectuels et la vie publique, 59. — 1. Fonctionnaires et ingénieurs, 60. — 2. Moralistes et objecteurs, 68. — 3. Révolutionnaires et politiciens, 78.

CHAPITRE III. — **Intellectuels et professions** ......... 87

I. La répartition des professions, 89. — II. L'organisation des professions, 96. — 1. Le rôle de l'Etat, 97. — 2. Ordres et syndicats, associations et autres groupements, 99. — 3. Vers une « internationale » des intellectuels ? 104. — III. Niveaux et modes de vie, 106.

CONCLUSION. — **Problèmes posés** .................... 117

BIBLIOGRAPHIE SOMMAIRE ......................... 123

1964. — Imprimerie des Presses Universitaires de France. — Vendôme (France
ÉDIT. N° 27 891 IMPRIMÉ EN FRANCE IMP. N° 18 260